LA PROVENCE
DIVISÉE EN SES VIGUERIES
ET TERRES ADJACENTES
sur les Memoires les plus Nouveaux
PRESENTÉ
A MONSEIGNEUR
LE DUC DE
BOURGOGNE.
Par son tres Humble et tres Obeissant Serviteur
H. IAILLOT.
PROVENCE
DE
ISLES D'HYERES, ou ISLES D'OR
ERRANÉE
MARQUISAT DE SALUCES
COMTE DE NICE
COMTE DE BEUIL
COMTE DE TENDE
DUCHÉ DE SAVOYE
VIGUERIE DE SEYNE
VIGUERIE DE DIGNE
VIGUERIE DE GUILLEAUME
VIGUERIE DE DRAGUIGNAN
VIGUERIE DE GRASSE
VIGUERIE DE St. PAUL
VAL DE BARREME
MOUSTIERS
BARIOLS
Barcelonette
Colmars
Digne
Castellane
Draguignan
Frejuls
Grace
Antibe
Nice
Monaco
Cannes
S. Tropez
Hyeres
Isles de Lerins
Isle de Porquerolles
Isle de Port Cros
Isle du Levant ou du Titan

Couverture :
Saignon, Vaucluse
Dos :
Port-Miou : les calanques
Pages 6/7 :
Arles : des Arlésiennes
Page 8 :
Golfe-Juan : **plaque commémorative**
Page 10 :
Marseille : la Bonne Mère
Page 123 :
Eze : le jardin exotique

ISBN : 2-84790-150-7
Dépôt légal : 2e trimestre 2003
Imprimé en Italie
par GRAFICHE ZANINI, à BOLOGNE

Crédit photographique :

Hervé Champollion : 10, 13, 14/15, 19, 20/21, 32/33, 34/35, 36/37, 39, 44/45, 46/47, 48/49, 50/51, 52/53, 58/59, 70, 72/73, 74/75, 80/81, 86/87, 94/95, 100/101, 108/109, 112/113, 115, 116/117, 119, 120, 129.
Dominique Repérant : 1, 104/105, 111, 123.
Slide/Binder : 56/57. **Slide/Bryan** : 76/77, 79, 82/83, 89, 97, 128. **Slide/Cartier** : 55. **Slide/Dubonnet** : 91. **Slide/Huitel** : 60/61. **Slide/Iren** : 40/41. **Slide/Malburet** : 63. **Slide/Martinez** : 102/103. **Slide/Petri** : 16/17. **Slide/Rosenthal** : 64/65, 66/67, 68/69, 84/85, 98/99. **Slide/Steffens** : 42/43, 106/107.
Archives Tallandier : 22/23, 25.
Pierre Boussier : 8, 92/93.
D.R. : 2/3, 6/7, 26, 27, 28/29, 30, 31, 64, 71, 120/121.

Texte : T. Bordas.
Collaboration : F.B. S.B.

LA PROVENCE

Thierry Bordas

Préface
Jean Tulard

Afin que vous puissiez
voyager au moins par l'image.
Avec toute notre affection
Marcel Christiane.

LES "PETITS" MOLIÈRE

ICI
DÉBARQUA
NAPOLÉON
EN
1815

PRÉFACE

Voici quelques-uns des plus beaux paysages de Provence : la mer et la montagne, le soleil et le vent, la vigne et l'olivier, la lavande et l'androsace. La Provence n'a pas fini d'inspirer peintres et écrivains, de Daudet à Giono.

Mais cette nature que l'on voudrait croire apaisante, n'a-t-elle pas servi de cadre aux épisodes les plus dramatiques de notre histoire. Elle en offre une sorte de résumé.

C'est d'abord l'impérialisme romain dont la Provence porte encore la marque. Suivent les invasions barbares. Puis c'est l'hérésie albigeoise qui déborde du Sud-Ouest vers le Sud-Est et annonce les guerres de religion. Comme si cette terre devait être le domaine privilégié des déchirements politiques de la France, la contre-Révolution s'y oppose avec autant d'ardeur que dans l'Ouest, à la Révolution. La paix consulaire ne peut qu'apaiser les haines, elle ne les efface pas.

En avril 1814, après son abdication, Napoléon rejoint l'île d'Elbe par la vallée du Rhône. Jusqu'à Orange le voyage se passe bien mais ensuite l'empereur déchu est surpris par les violences de la foule. Il doit, à la Calade, endosser un uniforme autrichien pour ne pas être reconnu. L'exacerbation des sentiments royalistes ne met-elle pas sa vie en danger. Un an plus tard, il fait le trajet en sens inverse, évitant Grasse et la vallée du Rhône, pour prendre la route de Castellane, Digne, Sisteron et Gap. Cette fois c'est l'enthousiasme : partout les paysans l'acclament, le portent en triomphe et veulent se joindre à ses soldats. Les nobles sont molestés aux cris de "Vive la Révolution". Au demeurant, en suivant un parcours audacieux, Napoléon ouvre en Provence l'une des plus belles routes de France.

Mais trois mois plus tard, c'est la terreur blanche et la revanche de l'autre Provence. Et les passions ne s'apaiseront pas, de la résistance au coup d'Etat du 2 décembre aux luttes politiques de la IIIe République. L'occupation allemande et la Libération verront aussi le sang couler. Mais oublions l'Histoire pour ne retenir que ces paysages si contrastés, ces trésors patrimoniaux si abondants, ces traditions si riches et si variées que nous propose d'admirer une nouvelle fois, mais avec un regard neuf, Thierry Bordas.

Jean TULARD
de l'Institut

SOMMAIRE

HISTORIQUE

Introduction à la "Provincia romana"

Très souvent, la Provence n'apparaît qu'à travers des souvenirs de vacances ; à la fois familière et singulièrement lointaine, elle émerge seulement comme un havre de paix, une terre de repos ou de détente. La plupart n'y voient que les sites réputés de la Côte d'Azur. Pour quelques-uns, et un certain folklore y est sans doute pour quelque chose, la Provence et son littoral évoquent pêle-mêle le "Midi" et son imagerie traditionnelle, les stations balnéaires bondées, un petit monde dont les protagonistes, sortis tout droit des œuvres de Marcel Pagnol, n'interrompraient leurs parties de pétanque que pour "siroter" leur pastis aux terrasses de café toujours ensoleillées.

Région privilégiée au climat serein, cela en dépit de la violence des pluies et de la fureur du mistral, la Provence jouit de paysages aussi variés qu'enchanteurs, rehaussés, ici et là, par l'éclat doré des mimosas, les vastes étendues mauves des champs de lavande ou le miroitement des étangs de Camargue : blancs sommets ou insolites déserts de rochers troués d'abîmes ; magnifiques forêts de chênes-lièges, de pins maritimes, d'arbousiers ou champs d'oliviers ; riches plaines de culture ou plateaux désolés ; pittoresques calanques ou crêtes déchiquetées... Délimitée à l'ouest par la basse vallée du Rhône et la Camargue, à l'est par les massifs alpins de haute Provence, et au nord par le mont Ventoux et la montagne de Lure, la Provence est bordée au sud par la Méditerranée. En dépit de contrastes qui s'expliquent fort bien par les différences d'altitude et d'exposition, le climat reste le principal élément unificateur de la Provence. Ce sont ces caractéristiques qui, associées aux aspects physiques d'une région morcelée et aux vicissitudes d'une longue histoire, ont considérablement influencé la mentalité provençale.

La Provence, un mot magique évocateur d'innombrables images inséparables de notre identité française ; la Provence, la *Provincia romana*, s'impose, majestueuse, en notre mémoire. La Provence : un air de fête aux parfums mêlés, un soleil qui mûrit les oranges et les olives, un horizon sec que le mistral secoue parfois, quand il rudoie la terre et la végétation. La Provence : des fifres et des tambourins quand Mireille passe, des nuits éclairées d'étoiles où les santons de notre enfance s'animent, un paysage ponctué de riches plaines et d'arides montagnes, et puis la mer, verte, bleue, violette, notre Méditerranée grecque et romaine, qui roule ses galets ou creuse les calanques.

C'est encore le Rhône, la rive gauche du Rhône, qui descend des brumes lyonnaises vers la Provence ensoleillée et arrose la Camargue. C'est aussi le ruissellement des fontaines, les ruelles tranquilles des villages haut perchés et les places de marchés, ombragées de vieux platanes.

La Provence apparaît toujours resplendissante et également fascinante sous tous ses aspects pour peu que l'on abandonne un moment les sentiers battus. Que l'on aille à Vaison-la-Romaine, à Orange, aux Baux ou à la Fontaine de Vaucluse, à Saint-Rémy-de-Provence, à Fontvieille ou aux Saintes-Maries-de-la-Mer, à Cassis, à La Garde-Freinet ou à Vallauris, à Gordes ou à Eze, au Thoronet ou à Silvacane, du château d'If à Manosque, tous les chemins mènent au soleil.

Comme le dit Frédéric Mistral, sous le cadran solaire de sa maison de Maillane :

Gai lesert, beù toun souleù,	*Gai lézard, bois ton soleil,*
l'ouro passo que trop leû	*l'heure ne passe que trop vite*
e deman ploùro beleù.	*et demain il pleuvra peut-être.*

Le moulin de Fontvieille, entre Arles et Saint-Rémy-de-Provence

Ce fameux moulin, s'il n'a jamais appartenu à Alphonse Daudet, a cependant inspiré une large part de son œuvre. "Tout autour du village, les collines étaient couvertes de moulins à vent. De droite et de gauche, on ne voyait que des ailes qui viraient au mistral par-dessus les pins (...) Le dimanche nous allions aux moulins, par bandes. Là-haut, les meuniers payaient le muscat. Les meunières étaient belles comme des reines, avec leurs fichus de dentelles et leurs croix d'or. Moi, j'apportais mon fifre, et jusqu'à la noire nuit on dansait des farandoles. Ces moulins-là, voyez-vous, faisaient la joie et la richesse de notre pays." (Alphonse Daudet, Lettres de mon moulin, le secret de maître Cornille).

Car il pleut aussi en Provence et même parfois beaucoup. Le Var est ainsi le département français qui reçoit, annuellement, le plus de précipitations. La pluie peut s'ajouter aux crues des rivières, dues à la fonte des neiges en altitude, et provoquer de véritables désastres. Les lits des rivières et des torrents, qui sont à sec des mois durant, débordent alors d'un seul coup. Le soleil, l'eau, le vent, la terre… Ce subtil mélange donne en Provence les plus beaux fruits et légumes qui soient, et d'une qualité rare : melons et pastèques, abricots, poires et pêches, muscats, implantés à l'époque du roi René, mandarines, citrons et oranges, pistoles, figues et grenades, olives, tomates, courgettes, aubergines, poivrons, fenouils, artichauts, etc. Et puis, l'huile d'olive, la vigne, dont les raisins donnent des vins qu'appréciaient déjà les Romains. Leurs noms sont connus : *Cassis, Bellet, Bandol, Beaumes-de-Venise, Coteaux d'Aix-en-Provence*, etc.

Il y a encore les herbes et les aromates : thym, romarin, marjolaine, laurier, sarriette, sauge, lavande, câpres, menthe, cytise, coronille, ail, basilic, etc. Ces ingrédients font penser au fameux élixir du révérend père Gaucher, mais aussi à ces plats provençaux comme l'aïoli, la bourride, à base de baudroie ou de lotte, la bouillabaisse, la soupe au pistou, l'aïgo boulido, la soupe aux favouilles (petits crabes), le catigot d'anguilles, la tapenade, les pieds et paquets marseillais, le chou fassum de Grasse, la tarte sucrée aux épinards… De la gastronomie aux douceurs, il n'y a qu'un pas et l'on songe aux Noëls de Provence, *Calendo* en provençal. Sucreries et spécialités sont légion : berlingots de Carpentras, fruits confits d'Arles, fleurs confites de Grasse, chiques de Noël de Marseille, confitures d'Apt, calissons et biscotins d'Aix, marrons glacés de Collobrières, amandes sucrées de Martigues, sans parler de la fouace et du nougat, car celui-ci n'est pas toujours de Montélimar.

La région administrative Provence-Côte d'Azur regroupe les départements du Vaucluse, des Bouches-du-Rhône, du Var, des Alpes-Maritimes, des Alpes-de-Haute-Provence et des Hautes-Alpes. C'est la sixième région de France pour la superficie (31 400 km^2) et la quatrième pour la population (plus de 4 500 000 habitants). A ce découpage administratif, il faut préférer une vision à la fois historique et affective : au nord, le département des Hautes-Alpes relève largement du Dauphiné, et des villes telles que Nîmes ou Beaucaire, si elles sont en Languedoc, appartiennent aussi un peu à la Provence. Province enchantée qui a inspiré des écrivains comme Théodore Aubanel, Alphonse Daudet, Paul Arène, Frédéric Mistral, Charles Maurras, Jean Giono ou Marcel Pagnol, terre de contrastes qui a exalté l'inspiration de tant d'artistes, depuis les bâtisseurs romains jusqu'aux

L'olivier

Fruit par excellence de la civilisation méditerranéenne, l'olivier, tout comme la lavande ou les santons, évoque infailliblement la Provence. Sans doute répandu dans la région par les Grecs dès l'Antiquité, l'olivier prospère un peu partout en Provence, dans les Alpilles, le Var ou le pays niçois, mais aussi dans la région de Salon ou de Nyons, où l'on produit une excellente huile d'olive.

maîtres du fauvisme, cet univers méridional est tellement divers qu'il est parfois difficile de le cerner. Il n'en est que plus attachant. Miracle du ciel et de la terre, la Provence reste un domaine d'exception où il fait bon vivre. Explorer l'âme provençale, partir à la découverte de ses villes et de ses villages, préserver sa culture et ses traditions, c'est aussi ressentir l'aspect éternel de cette terre et la défendre envers et contre tous.

La Provence au fil des siècles

La Préhistoire

L'Homme a toujours apprécié la région. Les plus anciens vestiges de sa présence en Provence remontent à des centaines de milliers d'années : outils, ossements ont été découverts dans des grottes. On retrouve son passage sur le littoral méditerranéen, des Bouches-du-Rhône aux Alpes-Maritimes.

Le musée de *Terra Amata*, à Nice, reconstitue le cadre de vie de ce qui demeure l'un des plus anciens habitats connus d'Europe. Quatre cents millénaires avant notre ère (paléolithique inférieur), l'homme habite l'actuelle Riviera ; on a retrouvé ses outils faits de galets éclatés. Le musée présente notamment une hutte de branchages qui donne une assez bonne idée des conditions de vie des chasseurs de l'époque.

Au néolithique, les premiers pasteurs viennent faire paître leurs troupeaux dans les Alpes de haute Provence ou dans la haute montagne niçoise. Ce sont peut-être ces bergers qui ont gravé dans les roches de la vallée des Merveilles les mystérieuses figures que l'on peut y voir. D'accès relativement difficile, cette magnifique région renferme en effet un nombre exceptionnel de gravures rupestres, telles des stylisations d'animaux cornus ; on en a fait un recensement précis : près de cent mille signes ont été relevés.

A l'autre extrémité de la Provence, dans le Luberon et sur le plateau de Vaucluse, on peut découvrir les bories, cabanes de pierres sèches sans âge et dont certaines remontent peut-être au XVIe siècle. On en dénombre environ trois mille dans la région. Certaines de ces huttes ont été restaurées, notamment celles qui se trouvent aux environs de Gordes, dans le Vaucluse, mais leur origine et même leur destination demeurent mystérieuses. Peut-être durant la même période apparaissent les premiers potiers qui utilisent le cardium, un coquillage, pour décorer leurs vases de motifs rudimentaires.

Les bories près de Gordes
Les bories, petites maisons construites en pierres sèches, constituent l'une des curiosités du plateau de Vaucluse et du Luberon. Elles ont été bâties avec des pierres calcaires très plates, sans liant. De formes très différentes, simples cabanes ou maisonnettes plus élaborées, les bories rappellent les capitelles du Languedoc ou les trulli des Pouilles. L'époque de leur construction reste incertaine et se situe sans doute entre le XVIe et le XVIIIe siècle.

Celtes et Ligures

A partir de 1800 av. J.-C., la fabrication d'objets en bronze se développe et supplante la taille du silex. A cette même époque, le sud-est de la France paraît avoir été occupé par les Ligures, dont on ne connaît guère les origines, mais qui sont sans doute les descendants des populations autochtones. Ceux-ci vont être progressivement dominés, entre le VIIIe et le IVe siècle av. J.-C., par les Celtes, qui ont longtemps séjourné dans le bassin du

Danube et étendu peu à peu leurs conquêtes vers l'ouest. Les hommes du premier millénaire avant notre ère s'appellent donc Ligures et Celtes. Ils s'entrecroisent et s'opposent, mais ils se mélangent aussi. Les fouilles d'Entremont, place forte du IIe siècle av. J.-C., ont permis de faire d'intéressantes découvertes sur cette période. L'oppidum de Nages, au sud-est de Nîmes, constitue un autre exemple de cette civilisation.

L'influence grecque

C'est vers 600 av. J.-C. qu'est fondée la ville de Marseille par des Grecs venus de Phocée. Ils évincent rapidement les Etrusques qui auraient reconnu l'embouchure de l'Hérault au même moment et laissé des traces de leur passage près d'Agde et à Pézenas. Massalia, bonne position sur les routes maritimes de l'Occident, devient un centre commercial important. Les Grecs fortifient la ville, construisent des entrepôts et un port dont on a retrouvé les restes imposants près de la Bourse. Ils apportent des denrées jusqu'alors inconnues des habitants du pays, comme le vin et l'huile d'olive ; ils leur font sans doute aussi connaître l'usage de la monnaie.

De Marseille, les Grecs fondent le long du littoral d'autres comptoirs : Agatha (Agde), Olbia (Hyères), Antipolis (Antibes), Nikaïa (Nice), etc. Il s'agit avant tout pour les Grecs de faire du commerce, ils créent des centres d'influence, mais non des centres de peuplement. Il n'existera d'ailleurs pas à proprement parler de province grecque et guère de Celtes philhellènes. Cependant, le premier site du Glanum témoigne bien d'une présence hellénique certaine.

Les relations entre les Grecs, appelés aussi Massaliotes, du nom de Massalia, et les autochtones celtes et ligures ne sont pas toujours au beau fixe. Lors de la deuxième guerre punique, qui oppose Rome à Carthage, Marseille soutient les Romains tandis que les Celto-Ligures préfèrent aider Hannibal à traverser la Provence pour envahir l'Italie (218).

Même si Hannibal est finalement défait, Rome n'oubliera pas et, en 125, lorsque Marseille est menacée par les Celto-Ligures, les Romains répondent à l'appel au secours des Grecs, pacifient la région et s'approprient, en fait, le pays tout entier. Le sud de la Gaule constitue ainsi une nouvelle province, Gallia Transalpina, qui devient bientôt Gallia Narbonnensis (Gaule Narbonnaise), la Province par excellence, future Provence.

La Paix romaine

La province, après des débuts assez difficiles (les Teutons menacent Aix en 105 av. J.-C.), ressent bientôt les bienfaits de la *pax romana* et soutient César pendant la guerre des Gaules (58 à 51 av. J.-C.). La conquête imposera une civilisation durable, puisque l'influence de Rome sera prépondérante jusqu'à la prise d'Arles par les Wisigoths en 471. De nombreuses villes sont créées : Arles, Carpentras, Cimiez, Digne, Fréjus, Glanum, Saint-Rémy, Vaison, etc., où les Romains dressent des arcs de triomphe, des théâtres, des arènes, des temples. Ils construisent aussi des ponts, des aqueducs, des routes, des trophées.

Des légionnaires revenus d'Egypte fondent Nemausus (Nîmes), vers 30 av. J.-C. C'est bientôt l'une des plus belles cités de la région, avec la Maison Carrée, élégant temple corinthien dominant le forum de la ville, construit sous Auguste, vers la fin du Ier siècle av. J.-C. ; les arènes, construites au début du IIe siècle de notre ère ; la tour Magne, qui fait alors partie de l'enceinte de six kilomètres entourant la cité. Un aqueduc, le pont du Gard, édifié à une vingtaine de kilomètres au nord-est de la ville, y amène les eaux de source captées près d'Uzès. Sous le "siècle d'or" des Antonins, au second siècle de notre ère, la vie agricole de la province est en plein essor.

Les invasions barbares

A partir du IIIe siècle apr. J.-C., les invasions barbares entraînent une anarchie générale du monde romain, que le christianisme naissant s'efforcera d'atténuer. Il s'agit tout d'abord des Vandales, des Suèves, des Alains, des Alamans qui ne font que passer comme un torrent plus ou moins dévastateur... Bientôt, les Wisigoths, quittant l'Italie en 412, arrivent à leur tour, sous la conduite d'Athaulf, beau-frère et successeur d'Alaric (qui a pris et pillé Rome en 410). Arles tombe en 471. Les Wisigoths s'installent, suivis par les Burgondes au nord. Au début du VIe siècle, les Ostrogoths, se considérant comme les représentants de l'Empereur d'Orient, tentent de restaurer les institutions romaines, mais, en 536, la Provence entre dans le royaume franc.

Francs et Burgondes se partagent et se disputent le pays, où les Saxons, les Sarrasins et les Normands font de fréquentes incursions. Si les Sarrasins sont un fléau, la réaction de Charles Martel, qui doit parfois se battre contre les Provençaux dans sa lutte contre les Arabes entre 730 et 740, paraît excessive. Même si la répression est bien moindre qu'en Languedoc par exemple, plusieurs villes de Provence sont mises à sac par les troupes franques. Le coup d'arrêt de Poitiers, en 732, n'empêche d'ailleurs pas les Arabes de prendre pied dans le massif des Maures, et de s'emparer de Marseille en 838 ou d'Arles en 842.

Statue d'Auguste à Nîmes

Trouvant en Provence un terrain particulièrement favorable, les Romains s'imposent rapidement. L'empereur Auguste vient à plusieurs reprises séjourner dans la Narbonnaise, de même qu'Hadrien quelque cent ans plus tard. Le meilleur témoignage de la romanisation du pays reste l'urbanisation de la région, qui devient aussi un important marché agricole, où se développe la culture des céréales. Dans le Languedoc voisin, et dans une moindre mesure en Provence, les Romains implanteront aussi la vigne.

Le royaume de Bourgogne et de Provence

A la fin du VIIIe siècle, la Provence est intégrée à l'empire de Charlemagne, mais reste sous la menace permanente des Arabes, qui seront finalement chassés par Guillaume le Libérateur à la fin du Xe siècle. Le royaume de Bourgogne et de Provence, hérité des partages carolingiens, aboutit, sous une suzeraineté théorique du Saint-Empire romain germanique, auquel il est rattaché en 1032, à une indépendance de fait des comtes de Provence qui, par le jeu des alliances et des successions, seront toulousains, catalans, angevins... Cette période, qui s'étend du XIe au XVe siècle, se révèle, en dépit des convoitises et des luttes intestines de toutes sortes, des plus bénéfiques pour la Provence. Les villes, qui avaient beaucoup perdu de leur rayonnement du fait du développement de la féodalité, retrouvent une vitalité nouvelle grâce à l'expansion commerciale et à la croissance de la vie économique. En 1095, le comte de Toulouse Raimond de Saint-Gilles prend la tête des Croisés du Midi lors de la première croisade qui aboutira à la prise de Jérusalem et à la constitution du royaume latin de Jérusalem.

A partir du XIe siècle se développe en Provence et dans le Languedoc voisin, un puissant essor économique et démographique. Outre le renouveau des anciennes cités apparaissent des villes nouvelles : Saint-Gilles, Beaucaire, etc. Se développent aussi les activités bancaires comme les échanges avec les pays du Levant. C'est l'époque où le Midi de la France est traversé, en général à dates fixes, par les pèlerins. Des communautés religieuses (notamment à Saint-Gilles) procèdent en Camargue et dans toute la région du Bas-Rhône à d'importants assèchements de terrains. Les donations affluent vers l'Eglise et les monastères. C'est notamment grâce à ces dons que va naître l'art roman provençal.

Avec le développement des villes et la naissance de cités nouvelles apparaît une nouvelle forme de l'administration municipale, le consulat. C'est une institution originaire d'Italie, qui s'est répandue en Provence et dans le Languedoc. Sous ce nom, les villes italiennes se sont organisées, après avoir secoué le joug féodal qui les rattachait à leurs évêques, et gardé à leur tête les conseillers que les prélats y ont placés. D'officiers épiscopaux, ces conseillers sont devenus des magistrats municipaux élus par les habitants de la commune. Contrairement à ce qui se passe dans une bonne partie de la France, où l'organisation communale est une institution hostile au seigneur dont dépend une cité qui veut gagner son indépendance, dans les villes du Midi, le seigneur et le clergé sont représentés à ces nouvelles assemblées. Les élus sont des consuls ayant les mêmes pouvoirs et en nombre égal pour chaque catégorie d'habitants : nobles, ecclésiastiques, médecins, marchands. Arles se régit en ville libre. Avignon adjoint à ses consuls deux podestats.

Abbaye de Silvacane
Sur la rive gauche de la Durance, la belle abbaye de Silvacane (la forêt de roseaux, sylva cana) a été fondée au XIe siècle par des moines de l'abbaye marseillaise de Saint-Victor. Son cloître date du XIIIe siècle.

Pages suivantes
La cour de Lusignan
Enluminure du XVe siècle tirée de l'Histoire de la conquête de Jérusalem de Guillaume de Tyr, évoquant tout à la fois le château de la légendaire fée Mélusine, l'épopée des Croisades et le royaume chrétien de Jérusalem. On peut aussi songer à la Provence angevine et au vaste domaine constitué par le Poitou, l'Aunis, la Saintonge et l'Angoumois, que certains considèrent comme partie intégrante de l'Occitanie.

L'essor de la langue d'oc

Dans le même temps, la langue d'oc se répand. Avant le XIe siècle, il n'existe ni littérature ni langue française. Le latin, même après les invasions des Barbares, est resté la langue de la Gaule. C'est en latin qu'on écrit dans les monastères, qu'on rédige les actes royaux et les contrats. On l'enseigne dans les écoles, qui, sous le règne de Charlemagne, connaissent un renouveau. Le latin est alors la langue de l'Eglise et de l'Etat. Le peuple ne parle pas le latin classique, mais une langue vulgaire apportée par les légions et les colons romains. Progressivement, cette langue, déjà altérée, va devenir, en s'alliant avec les dialectes celtes et germaniques, la langue

le·p̄riarche

le·de·Jaffe·
le·maistre·du·temple·

romane, source du français. Elle se partage elle-même en deux : la langue d'oïl, parlée dans le nord de la France ; la langue d'oc, parlée dans le Midi.

A partir du XIe siècle, le dualisme linguistique régional en ces deux dialectes est de plus en plus caractérisé. Les premiers *scripta* de langue occitane datent de 1102 et ont été trouvés dans la région de Rodez. Peu de temps après va commencer la floraison lyrique avec les troubadours, auxquels on oppose dans les pays de langue d'oïl les trouvères. Les uns et les autres ont comme ancêtres communs les jongleurs et vont ordinairement de cour en cour seigneuriale, séjournant plus ou moins longtemps dans chacune d'elles suivant le succès qu'ils ont obtenu. En fait, l'expression artistique des troubadours, venus d'Aquitaine, n'est pas spécifiquement provençale, mais plutôt occitane. Son prestige et son rayonnement n'en touchent pas moins la Provence. Au XIIe siècle, l'art roman, un peu tardif en Provence, se révèle dans toute sa pureté. L'école provençale subit, dans une certaine mesure, l'influence de l'architecture antique. Elle est particulièrement bien représentée par la très belle façade de Saint-Gilles, le magnifique portail de Saint-Trophime ou les abbayes du Thoronet et de Sénanque.

La croisade des Albigeois

Renaissance des villes, essor économique, diffusion de la langue d'oc et de l'art des troubadours, éclosion de l'art roman, ces facteurs contribuent largement à créer une civilisation originale et raffinée qui contraste avec la rudesse du nord de la France. Quand, en 1194, le comte de Toulouse Raimond VI succède à son père Raimond V, il est devenu l'un des plus puissants feudataires du royaume. Son autorité est souveraine à Toulouse, Cahors, Agen, Nîmes, Agde. Il possède la moitié de la Provence, et exerce son influence dans l'Uzège, le Rouergue, le Gévaudan et le Vivarais.

La croisade des Albigeois, qui éclate en 1209, va anéantir cette puissance. L'hérésie cathare servira de détonateur. Sous l'impulsion du pape Innocent III, l'Eglise va organiser une véritable croisade au cours de laquelle les seigneurs de la France du Nord envahissent le Languedoc, le mettant à feu et à sang, et s'emparent de nombreuses terres. La croisade contre les Albigeois entraîne aussi un rapprochement des comtes catalans et des comtes de Toulouse qui s'unissent pour s'opposer aux envahisseurs venus du nord. En pure perte. Simon de Montfort et ses compagnons ne font pas de détail. Même si c'est surtout en Languedoc que s'exercent les représailles, la Provence est touchée. Ainsi, Louis VIII assiège et prend Avignon en 1228.

La Provence angevine et le "bon roi René"

Le traité de Paris, en 1229, consacre l'écrasement de la puissance du comte de Toulouse et renforce l'unité de la France capétienne. Raimond Bérenger V, comte de Provence, rétablit cependant l'autorité comtale. Sa quatrième fille, Béatrice, épouse, en 1246, Charles Ier d'Anjou, frère de saint Louis, et rattache ainsi la Provence au domaine de la famille d'Anjou. L'influence de Charles Ier, futur roi de Naples, et de ses successeurs s'avère bénéfique. La Provence retrouve une place prépondérante. Aix et Avignon sont deux villes importantes, auréolées de prestige. C'est à cette époque que la papauté reçoit du roi de France le Comtat Venaissin et Avignon, où le pape décide de se fixer au début du XIVe siècle. La cité des Papes, que Clément VI rachète en 1348 à la reine Jeanne, connaît une prospérité sans précédent. La période qui va suivre n'est cependant pas des plus favorables pour la Provence qui traverse alors des moments difficiles : épidémies de peste, pillages, invasions, querelles de succession, conflits religieux... Seul le règne du "bon roi René" apporte un peu de calme et de prospérité à la région.

Succédant à son père Louis Ier d'Anjou, Louis II, neveu du roi de France Charles V, fonde en 1409 l'université d'Aix. Son deuxième fils, René Ier le Bon, va régner de 1434 à 1480. Fin lettré, amateur d'art et mécène, parlant plusieurs langues, notamment le grec, le latin, le catalan et l'italien, René, duc d'Anjou et comte de Provence, a longtemps bataillé pour faire valoir ses droits sur le duché de Lorraine et pour reconquérir son royaume de Naples. Il est contraint d'y renoncer et consacre alors le plus clair de son temps à la Provence.

Bon administrateur et protecteur des arts, le roi René fait d'Aix une véritable capitale, entretenant une riche cour d'écrivains et d'artistes, parmi lesquels le peintre Nicolas Froment. Son héritier, Charles du Maine, mort sans descendance, laisse le comté de Provence à Louis XI en 1481, et, en 1486, les Etats de Provence, réunis à Aix, entérinent la réunion de la Provence au royaume de France.

Mortification du roi René. Vers 1450

Duc d'Anjou, de Lorraine et de Bar, comte de Provence, roi de Sicile et de Naples, le roi René apparaît comme l'un des esprits les plus complets de son temps. Même s'il séjourne peu dans sa bonne ville d'Aix, où il ne s'installe qu'en 1471, soit huit ans avant sa mort, le roi René y a laissé une image auréolée de gloire, sans doute encore embellie par la légende. Sous son règne, Aix-en-Provence accroît son influence politique et devient une capitale des lettres et des arts.

Or reuenons a declairer la
substance et effect de la sim
litude que ie tay predicte. Et pre

Le renforcement du pouvoir royal

A l'origine, un certain nombre de prérogatives, préservant notamment coutumes et privilèges, établissent les conditions de la réunion au royaume. Ainsi, le roi de France Charles VIII déclare dans l'acte d'union : *"Les avons adjoints et unys, adjoignons et unissons à nous et à notre couronne, sans que à icelle couronne ne au royaulme, ils soient pour ce aulcunement subalternez."*

Cependant, dès le XVIe siècle, les atteintes à l'autonomie relative du comté vont se multiplier : création par le pouvoir royal d'un Parlement, concurrent de l'institution comtale ; prescription de l'usage du français dans les actes officiels (édit de Villers-Cotterêts, 1539) ; restrictions aux attributions des Etats ; renforcement de la centralisation administrative ; etc. Les conflits religieux accentuent encore ce renforcement du pouvoir central. Prenant origine dans l'hérésie vaudoise, implantée dans le Luberon dès le XIIe siècle, la Réforme gagne le Languedoc et, dans une moindre mesure, la Provence.

Plusieurs villages hérétiques sont incendiés dans le Luberon sur les ordres du Parlement d'Aix, outrepassant en fait les directives du roi, tandis que les protestants s'en prennent aux églises et aux abbayes. Cependant, hormis Orange (qui appartient à la Maison de Nassau de 1544 à 1713), Nîmes et Uzès, la Provence reste très majoritairement catholique, mais avec des nuances parfois très sensibles.

En outre, le caractère frondeur des élites provençales conduit à d'étranges alliances ; ainsi, pendant les guerres entre la France et l'Empire, Nice est l'alliée de Charles Quint, et à la fin du XVe siècle, catholiques et protestants, sous la bannière du gouverneur Henri d'Angoulême, s'opposent aux ligueurs, alliés de l'Espagne et de la Maison de Savoie, qui a pris pied dans la région dès le XIVe siècle. Des situations aussi paradoxales se renouvelleront lors des soubresauts de la Révolution française. Sous Louis XIII et Louis XIV, la pression se fait plus forte et la noblesse provençale réagit parfois avec violence.

Des forteresses à "la Vauban"

C'est sous Henri IV que Toulon se fortifie et entreprend la construction d'un arsenal. L'œuvre sera poursuivie par Richelieu qui fait de Toulon une place forte militaire. Durant la seconde moitié du XVIIe siècle, Toulon est à l'apogée de sa puissance. Colbert charge alors Vauban de repousser l'enceinte de la ville vers l'ouest et de construire la Grande Darse, qui pourra accueillir une centaine de vaisseaux. Toulon devient ainsi le premier port militaire d'Europe.

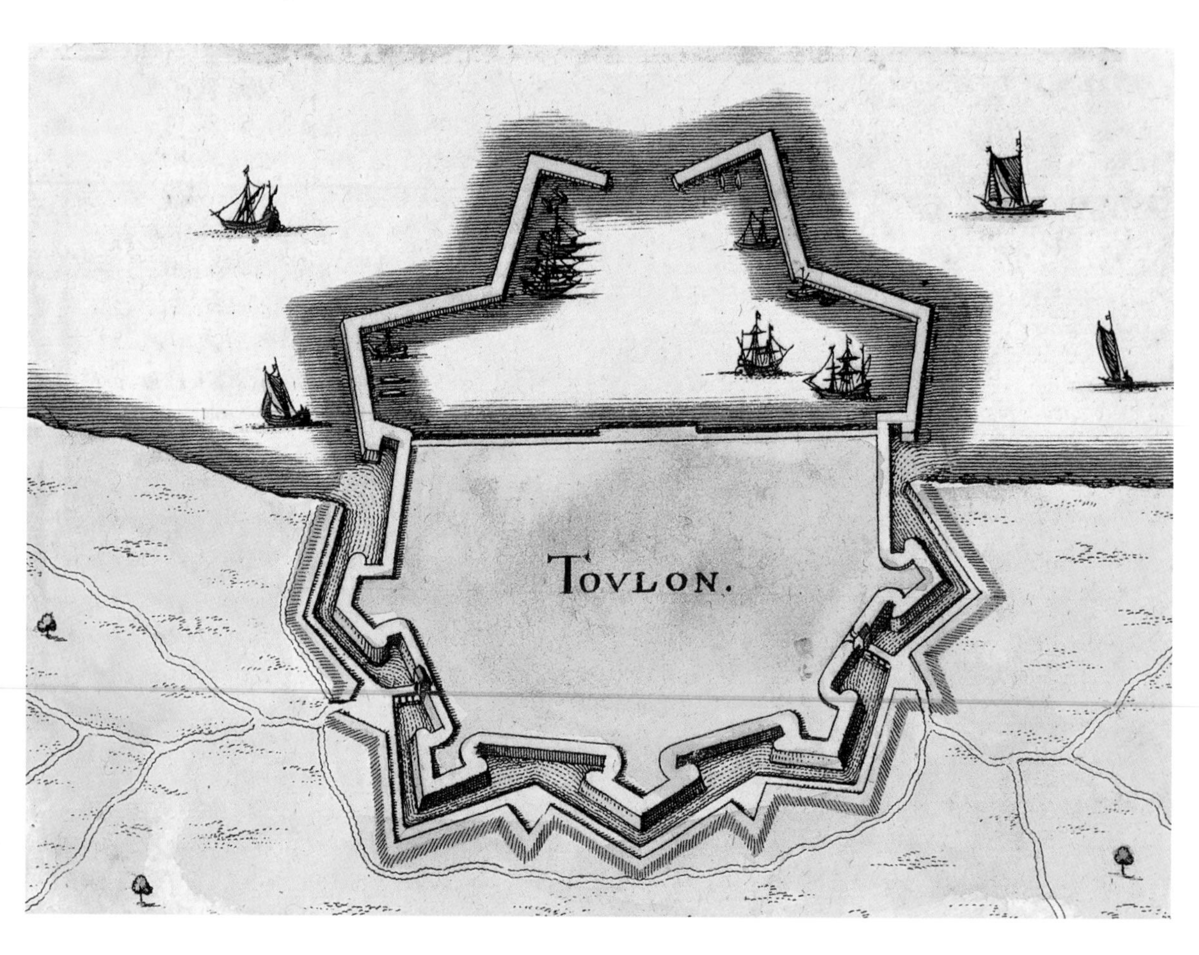

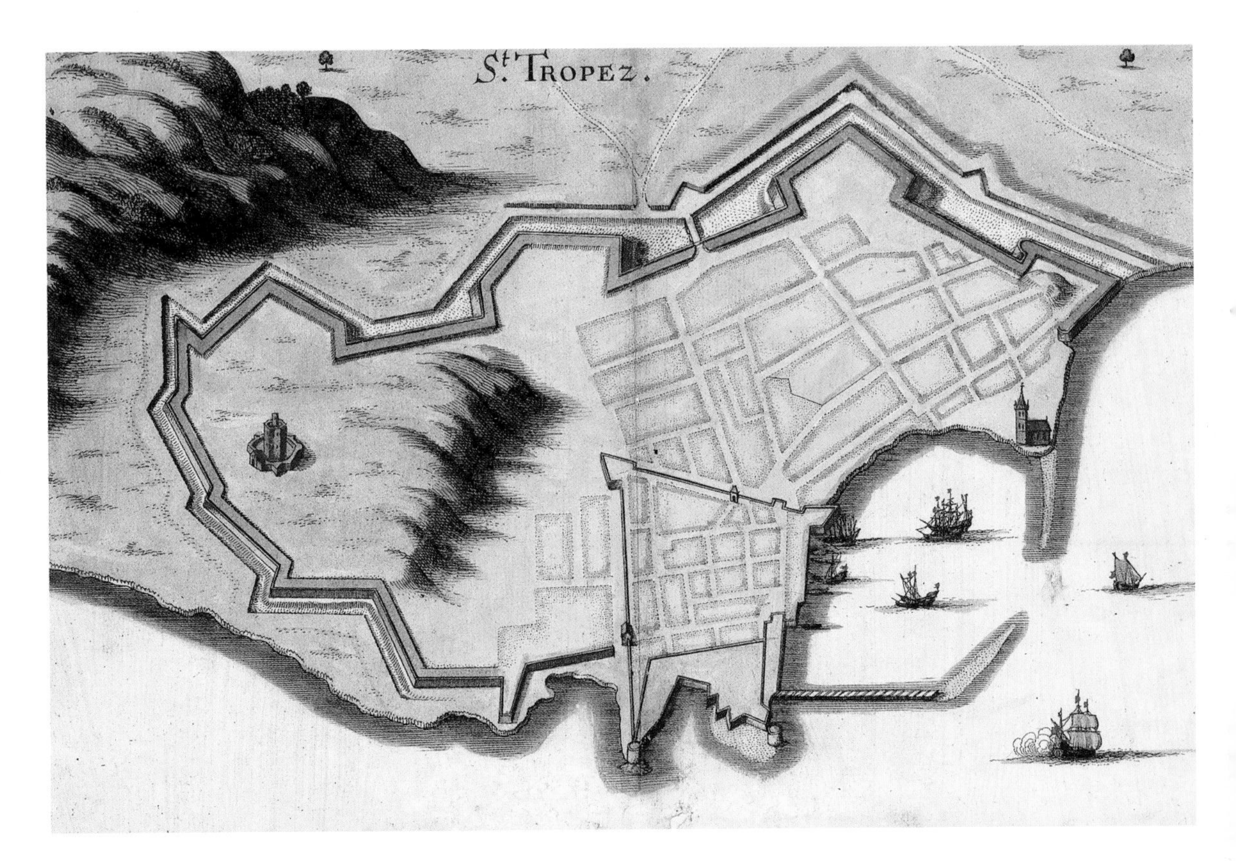

Les bouleversements de la Révolution

Contrairement à ce que l'on pense généralement, l'engagement révolutionnaire du Midi n'est pas unanime. Dans un premier temps, bourgeois et intellectuels parviennent à rallier les masses populaires à la cause républicaine. La Révolution réussit à briser la puissance des parlements et le vieux cadre provincial. En 1790, l'Assemblée constituante entérine la disparition des provinces et décide la création de trois départements : les Basses-Alpes, les Bouches-du-Rhône et le Var. Avignon et le Comtat Venaissin sont annexés en 1 791 dans l'enthousiasme et constituent le Vaucluse. En 1793, la conquête du comté de Nice par les armées révolutionnaires donne naissance aux Alpes-Maritimes.

A côté de la révolte girondine de la bourgeoisie méridionale, d'inspiration protestante, se manifeste une véritable contre-révolution provençale. Cela donne même lieu à de furieux affrontements dans le Comtat Venaissin, à Nîmes, à Toulon, à Marseille. D'origine paysanne et ouvrière, cette réaction se traduit, dès 1790, par le soulèvement des cebets (ouvriers catholiques de Nîmes ainsi nommés parce que l'oignon, *ceba*, constitue l'essentiel de leur nourriture). C'est à cette époque que se forment nombre de maquis "blancs".

La chute de l'Empire est célébrée comme une victoire par les Méridionaux qui, dans bien des cas, accueillent les Anglais en libérateurs. Dès 1815, Avignon, Arles, Aix, Marseille, Toulon laissent éclater leurs sentiments royalistes. Le préfet du Gard en arrive même à solliciter l'aide des Autrichiens pour réduire le soulèvement des maquis blancs et rétablir l'ordre. Robert Lafont souligne, dans *Lettre ouverte aux Français d'un Occitan* (1 973), le caractère populaire de cette "Terreur blanche" : "... *Cebets*, *Tres Talhons*, *Verdets*, tous ces noms sont occitans. Si les Girondins méprisent le patois à l'égal des Jacobins, la "Vendée occitane" vit dans son langage intact. Comme pour le pays chouan, donnons raison à l'abbé Grégoire qui pensait que la réaction ne parle pas français. Mais apprécions cette réaction comme populaire. Elle peut très bien se transformer en volonté révolutionnaire..."

Saint-Tropez, une forteresse...

Les premières fortifications de Saint-Tropez remontent au XVIe siècle, à l'époque où la petite cité défendait son autonomie. Au XVIIe siècle, les Tropéziens repoussent une attaque des Espagnols, venus en force sur leurs galères pour prendre la ville. La fameuse Bravade du 15 juin célèbre, chaque année, ce fait d'armes.

Luttes ouvrières et révoltes paysannes

La Provence, fief ultra aux élections de 1816 et de 1827, passe progressivement dans le camp opposé dès la seconde moitié du XIXe siècle. Les événements de 1848 et de 1851 ne sont certainement pas étrangers à cette évolution. Le soulèvement du Midi contre le coup d'Etat du 2 décembre suscite un véritable climat de guerre civile. La répression qui s'abat sur les forces insurrectionnelles, principalement composées d'ouvriers et de paysans, marque profondément les esprits. Les bouleversements économiques affectent la région et provoquent nombre de conflits sociaux.

Les premières années du XXe siècle voient l'effondrement des cours du vin et la ruine de centaines de milliers de petits propriétaires provoqués par les crises de surproduction et l'arrivée sur le marché de vins étrangers. La révolte des vignerons du Languedoc voisin, qui éclate en 1907, ne rencontre que peu d'écho en Provence. Mistral et les félibres apportent cependant leur soutien au mouvement.

Mistral et le Félibrige

Le message de Mistral aux vignerons de 1907 est significatif. Au-delà de la prudence d'un homme au soir de sa vie, il rend confusément compte d'un grand élan de solidarité qui gagne de larges couches de la population du Midi. Il ne faut pas oublier que Mistral et ses compagnons, s'ils ont veillé à ne pas se laisser entraîner sur le terrain politique, ont toujours affirmé leurs convictions "régionalistes". N'ont-ils pas d'ailleurs, à ce sujet, effrayé grand nombre d'esprits éclairés de la gauche jacobine ? Mistral n'est-il pas ainsi accusé de rêver au démembrement de la France et d'être un fédéraliste latin ?

Fondé à l'origine pour défendre et restaurer la langue provençale, le Félibrige se constitue officiellement en 1854 au château de Font-Segune, près d'Avignon. Ses fondateurs – *li sèt félibre de la lei*, les sept docteurs de la loi – sont, outre Frédéric Mistral et Joseph Roumanille, les poètes Aubanel, Mathieu, Tavan, Giéra et Brunet. La publication de l'*Armana Prouvençau* répand la bonne parole et diffuse les principes de l'association. En 1859, Mistral publie *Mireille*, poème épique écrit en provençal qui rencontre un grand succès. Dans son *Calendal*, véritable épopée provençale, il n'hésite pas à rappeler, dans une note, le douloureux passé de la région :

"Bien que la croisade commandée par Simon de Montfort ne fût dirigée ostensiblement que contre les hérétiques du Midi et plus tard contre le comte de Toulouse, les villes libres de Provence comprirent admirablement que sous le prétexte religieux se cachait un antagonisme de race ; et quoique très catholiques, elles prirent hardiment parti contre les croisés" avant de conclure : *"Quand nous lisons, dans les chroniques provençales, le récit douloureux de cette guerre inique, nos contrées dévastées, nos villes saccagées, le peuple massacré dans les églises, la brillante noblesse du pays, l'excellent comte de Toulouse, dépouillés, humiliés, et d'autre part, la valeureuse résistance de nos pères aux cris enthousiastes de : Tolosa ! Marselha ! Avinhon ! Provensa ! il nous est impossible de ne pas être ému dans notre sang, et de ne pas redire avec Lucain : Victrix causa Diis placuit, sed victa Catoni".*

Le retour de l'île d'Elbe

Bonaparte, le vainqueur de Toulon en décembre 1793, fut aussi celui qui écrasa l'insurrection royaliste du 5 octobre 1795 devant l'église Saint-Roch. Les contre-révolutionnaires du Midi s'en souviendront. L'Empire est plutôt mal accueilli dans l'ensemble. Les difficultés économiques, en partie causées par les conséquences du Blocus continental, la conscription, alimentant nombre de maquis de déserteurs, les tensions religieuses enfin, renforcent cette Provence blanche et populaire, qui finit par triompher en avril 1814. L'annonce de l'abdication de l'empereur soulève l'enthousiasme à Nîmes, Avignon, Arles, Aix, Marseille, Toulon et dans toute la région. Le débarquement de Napoléon à Golfe-Juan, le 1er mars 1815, marque le début des Cent-Jours, mais l'épopée faillit plus d'une fois tourner court. Si la route Napoléon traverse les Alpes et emprunte parfois de difficiles chemins muletiers, c'est que la route régulière restait bien incertaine. Ne parvenant pas à rallier la garnison d'Antibes, passant rapidement à Cannes, Napoléon évite la vallée du Rhône et s'engage sur la route de l'arrière-pays de Grasse, qui passe par la petite localité de Castellane, vers Grenoble. Gagnant Sisteron, qui n'est pas gardée, puis Gap, Napoléon finit par rencontrer, sur le plateau de Laffrey, non loin de Grenoble, les premières troupes qui devaient l'arrêter. Là, l'Empereur parvient à retourner la situation et rallie la troupe à sa cause, mais nous ne sommes plus en Provence.

Félibres et occitans

A l'apogée du Félibrige, on emploie généralement pour désigner les régions méridionales les termes de Midi, de pays d'Oc ou de Provence ; rares sont les auteurs qui utilisent le mot Occitanie (Louis-Xavier Ricard, du groupe de la Louseto, est de ceux-là). En 1892, les jeunes félibres Frédéric Amouretti et Charles Maurras lancent un manifeste autonomiste et fédéraliste. Il s'ensuit quelques remous dans le Félibrige, mais cette réaction, notable au sein d'un mouvement déjà assoupi, traduit l'exaspération croissante d'une partie non négligeable des jeunes générations. Dès les années 1900, les félibres voient leurs positions battues en brèche par de nouvelles écoles. L'une des premières causes de ce courant de contestation tient sans aucun doute aux problèmes de langue.

La réforme linguistique mise au point pour le provençal par Mistral et ses disciples ne convient assurément pas aux différents parlers occitans. Il s'ensuit de longs débats à l'issue desquels Joseph Roux, Prosper Estieu et Antonin Perbosc tentent d'unifier les différentes langues d'oc. Leurs travaux, qui consistent notamment à privilégier le dialecte languedocien en s'inspirant de la graphie classique des troubadours, aboutissent à la fondation de l'*Escola Occitana* (1919) et de la revue *Lo Gai Saber*. La rupture au sein du Félibrige est consommée. Désormais, "félibres" et "occitans", tout en œuvrant pour une cause identique, suivent des chemins séparés. La plupart des militants occitanistes reprochent aux félibres leurs conceptions réactionnaires tandis que ceux-ci dénoncent le caractère subversif et révolutionnaire du mouvement occitan.

Frédéric Mistral

Frédéric Mistral, prix Nobel de littérature en 1904, fut celui qui redonna ses lettres de noblesse à la langue provençale. Parallèlement à son patient travail de philologue, notamment illustré par la publication du Trésor du Félibrige, l'enfant de Maillane composa aussi une œuvre littéraire pleine de saveur et de poésie : Mireille (1859), les Iles d'Or (1876), la Reine Jeanne (1890), le Poème du Rhône (1897), les Olivades (1912)...

Les débuts de la Côte d'Azur

Dès la fin du XIXe siècle, les stations balnéaires de la Côte d'Azur s'imposent comme lieux de villégiature parmi les têtes couronnées et les grands de ce monde.

En dépit des positions adoptées par certains de ses membres (on pense à un Jaurès ou à un Daladier), le Félibrige est plutôt traditionaliste. N'oublions pas, enfin, l'existence d'une gauche félibréenne, inspirée des thèmes fédéralistes de Proudhon : la Louseto, où Crousillat, Tavan, Ricard, Félix Gras rompent des lances avec le courant représenté par Roumanille.

La IIIe République

La France, sous la IIIe République, voit un grand nombre d'hommes politiques méridionaux accéder aux plus hautes responsabilités : Thiers, Gambetta, Loubet, Fallières, Jaurès, Doumergue, Daladier, etc. Dans le même temps, des personnalités influentes viennent se faire élire dans le Midi ; Clemenceau et Blum en sont les exemples les plus célèbres. Peu à peu, les revendications politiques et la contestation des structures économiques perdent de leur force au profit d'un électoralisme omniprésent qui engendre un esprit de clientélisme prononcé.

Lors de la Seconde Guerre mondiale, l'armistice de juin 1940, qui conclut l'offensive allemande à l'ouest, préserve le sud de la France de l'Occupation, en créant une zone libre. A la suite du débarquement des forces anglo-américaines en Afrique du Nord, les Allemands entrent en zone non occupée en novembre 1942. Surprise par l'irruption des troupes allemandes à Toulon et dans l'impossibilité d'appareiller, la flotte française se saborde le 27 novembre. Le 15 août 1944, une armée franco-américaine, sous les ordres du général de Lattre de Tassigny, débarque sur les côtes du massif des Maures et de l'Esterel. Marseille est libérée le 23 août, Toulon le 26. L'armée de débarquement, où s'illustre notamment le général de Montsabert, remonte ensuite la vallée du Rhône, vers Lyon et Dijon. La jonction avec les troupes débarquées en Normandie s'opère bientôt.

Les années cinquante et soixante voient le développement économique de la région : construction du barrage de Serre-Ponçon, inauguration des premières usines de l'aménagement hydroélectrique de la Durance, création de la zone portuaire et industrielle de Fos, etc. La région est officiellement instituée en 1956, avant d'être redéfinie en 1970 et 1972.

L'essor du tourisme

La naissance du tourisme, à la fin du XIXe siècle, préfigure l'essor de la Côte d'Azur. Le tourisme d'hiver s'y développe notamment. L'aristocratie anglaise lance ce qui n'est alors qu'un village : Cannes, tandis que Nice devient une station balnéaire réputée. Un casino est ouvert à Monte-Carlo vers 1870 et les palaces de la Riviera voient bientôt le jour. Aux premiers bains de mer, aux ombrelles et aux canotiers succèdent bientôt la vogue des plages et du tourisme d'été.

De Bandol à Menton, le littoral connaît une urbanisation sans précédent. Cette politique touristique se révèle excessive : la côte se hérisse de constructions et le béton affirme sa suprématie. La région Provence-Côte d'Azur est devenue la première zone touristique de France par la richesse de ses sites et par sa capacité d'accueil (235 millions de nuitées annuelles). La création de parcs nationaux (parc du Mercantour, parc de Port-Cros) et de parcs régionaux (Camargue, Luberon) a permis de protéger des sites exceptionnels et le conservatoire du littoral, fondé en 1975, a acquis un certain nombre de lieux privilégiés.

VILLÉGIATURE PRÉSIDENTIELLE

M. et Mme Poincaré sur la terrasse de leur villa à Eze-les-Pins

DIMANCHE 19 AVRIL 1914

La terre de Provence

Les Alpilles, cœur de la Provence

Le triangle magique formé par les villes d'Arles, Avignon et Salon-de Provence est essentiellement occupé par le petit massif des Alpilles, entre la Durance et le Rhône. Nous sommes là au cœur de la Provence pastorale, de ce paysage de collines, cerné de vignes et d'oliviers, baigné par une lumière éclatante, si bien dépeint par Alphonse Daudet :

"A l'horizon, les Alpilles découpent leurs crêtes fines... Pas de bruit... A peine, de loin en loin, un son de fifre, un courlis dans les lavandes, un grelot de mule sur la route... Tout ce beau paysage provençal ne vit que par la lumière." (*Lettres de mon moulin*).

Prolongement du Luberon, les Alpilles, telles les collines de la Montagnette, évoquent d'assez loin de véritables montagnes : leur point culminant, qui domine la plaine de la Crau, ne s'élève qu'à 493 mètres. Elles n'en dégagent pas moins un charme sauvage et subtil. Là encore, Alphonse Daudet, dans *Tartarin de Tarascon*, décrit le théâtre des futurs exploits de son héros.

Saint-Rémy-de-Provence

Aux pieds des derniers contreforts des Alpilles, se trouve la petite ville de Saint-Rémy-de-Provence, tout près des ruines de la Glanum gréco-romaine. Avec ses boulevards ombragés et son centre aux vieilles ruelles, Saint-Rémy a un air de campagne et de jardin potager.

On peut y visiter la demeure de Michel de Nostredame, plus connu sous le nom de Nostradamus, l'auteur des *Centuries*, les célèbres et obscurs quatrains prophétiques. L'hôtel de la famille de Sade, au nord de la collégiale Saint-Martin, qui conserve un beau clocher du XIVe, est aujourd'hui un musée archéologique, où sont présentées des pièces intéressantes remontant à la période des Celtes et des Ligures et à la période hellénistique.

Les Antiques

Au pied du mont Gaussier, le site de Glanum, seulement exploré au XXe siècle (le début des fouilles remonte à 1921), ne révèle que partiellement la richesse de l'ancienne cité. Sur la voie domitienne, à la lisière de la ville romaine, s'élèvent les Antiques : l'arc triomphal, sans doute l'un des plus anciens de la Narbonnaise, et le mausolée des Jules, impressionnant cénotaphe de dix-huit mètres de hauteur.

A côté, l'hôtel Mistral de Mondragon, qui date de la Renaissance, abrite le musée des Alpilles. Presque en face des Antiques, l'ancien monastère de Saint-Paul-de-Mausole renferme un charmant petit cloître du XIIe siècle. Van Gogh y a séjourné entre 1889 et 1890, juste avant de disparaître.

Glanum et les Antiques

A un kilomètre au sud de Saint-Rémy, l'ancienne cité de Glanum révèle ses fastes. En bordure de la ville ruinée, on peut admirer les célèbres Antiques : l'arc de triomphe, superbement sculpté, et le mausolée des Jules, dont l'état de conservation est étonnant, remontent à environ 30 av. J.-C., c'est-à-dire au début du règne d'Auguste. C'est à la même époque que le site de Glanum connaît son apogée. Les fouilles, commencées en 1921, ont mis à jour des structures importantes qui ont aussi dévoilé l'origine des habitants successifs : maisons utilisant la technique du grand appareil, porte fortifiée, fontaines, thermes, forum, basilique, temples ; l'ensemble, situé à l'entrée d'un sauvage vallon des Alpilles, est très majestueux. La ville sera détruite en 270 par les Barbares, et les habitants épargnés fonderont une bourgade qui deviendra Saint-Rémy.

Au sud-ouest de Saint-Rémy, dominant la plaine de Tarascon, la petite chapelle de Saint-Gabriel, dont la construction remonte sans doute au XIIe siècle, mérite l'attention.

Les Baux-de-Provence

D'emblée le site surprend. Situé sur les hauteurs des Alpilles, au sud-ouest de Saint-Rémy, cet éperon rocheux évoque quelque fabuleuse forteresse d'un autre âge. Ce qu'il fut effectivement, lorsque les Baux-de-Provence devinrent le siège d'une puissante famille qui, du haut de son imprenable repaire, contrôla de vastes territoires sur les rives de la Durance et du Rhône, bataillant contre les comtes catalans. Cette "race d'aiglons, jamais vassale", évoquée par Mistral, compta dans sa lignée le redoutable Raimond de Turenne. Du château, démoli à plusieurs reprises – la dernière fois au XVIIe siècle –, il ne reste à peu près rien, hormis le grand donjon, en partie creusé dans le roc.

Les Baux sont particulièrement impressionnants parce que la montagne et les constructions des hommes s'y confondent. Nombre de maisons ont été ainsi aménagées dans les rochers. L'église Saint-Vincent, où se tient le fameux Noël des Bergers (fête du pastrage), la chapelle des Pénitents-Blancs, décorée par Yves Brayer, les étroites ruelles sont aussi inoubliables que les petits palais Renaissance, les sentiers de montagne et la vue magnifique que l'on a sur la Crau.

L'église d'Eygalières

A l'entrée du village d'Eygalières, la chapelle Saint-Sixte, aux toits de tuile, s'élève sur un petit promontoire où viennent paître les moutons. On dit qu'elle fut bâtie à l'emplacement d'un temple païen. Comme dans beaucoup d'autres sites de la région, l'essor de cet endroit magique fut précoce : les eaux de source d'Eygalières étaient captées par les Romains pour alimenter la ville d'Arles.

Au nord-ouest des Baux, par le vallon de la Fontaine, on accède au pavillon de la reine Jeanne, petit édifice Renaissance, dont Mistral fit établir une réplique pour son tombeau.

Dans la même direction, on gagne le Val d'Enfer, une étonnante gorge, dont les grottes et les carrières ont jadis servi d'habitations. C'est dans ce singulier décor qu'en 1959, le poète Jean Cocteau tourna son film *Le Testament d'Orphée*.

Fontvieille

Au sud-ouest des Baux, dans la direction d'Arles, le village de Fontvieille nous charme par son pittoresque. Une petite route, bordée de pins parasols, conduit au célèbre moulin de Daudet. C'est sans doute là que l'écrivain a imaginé les *Lettres de mon moulin*.

L'endroit se révèle superbe et la vue sur les Alpilles et la plaine de Tarascon est magnifique. Le moulin a été restauré et on peut le visiter ; un petit musée consacré à l'auteur des *Contes du lundi* a été aménagé à l'intérieur. A l'est des Baux et de Saint-Rémy, le village d'Eygalières est sans doute le plus beau des Alpilles. Ses petites rues tortueuses, bordées de maisons anciennes et dominées par un gros donjon, seul vestige du château, invitent à la promenade. A l'entrée du village, la chapelle Saint-Sixte, élevée au XIIe siècle, surprend par sa simplicité. Les cyprès qui l'entourent ajoutent encore au charme du site.

Nîmes et sa région

Bien que la Provence, dans sa stricte acception, ne s'étende pas à l'ouest du Rhône, où commence le Languedoc, Nîmes appartient, dans une certaine mesure, à la mouvance provençale. Avant d'être romaine, la cité fut une place forte celte. Son nom ancien, Nemausus, lui vient d'une source qui était déjà vénérée par les autochtones.

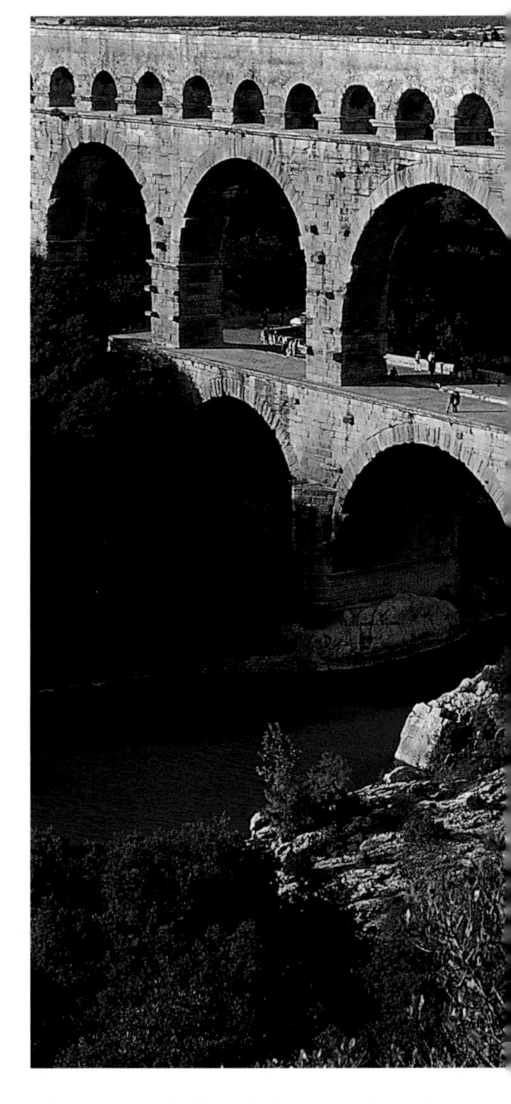

La Nîmes d'Auguste

L'origine romaine de la ville remonterait à 30 av. J.-C., lorsque des vétérans romains, de retour d'Egypte (d'où le symbole du crocodile enchaîné, toujours présent dans les armoiries de Nîmes), établissent une colonie sur le site de Nemausus, qui deviendra bientôt l'une des cités les plus florissantes de la Narbonnaise. Certains historiens estiment que la création de la ville romaine serait plus ancienne et daterait de 121 av. J.-C.

De toutes les façons, c'est bien Auguste, à la fin du Ier siècle av. J.-C., qui donne le signal du développement. L'empereur enserre ainsi la cité d'une vaste enceinte, dont on conserve aujourd'hui encore quelques vestiges, dont la porte d'Auguste et la fameuse tour Magne, haute de trente-quatre mètres, que Victor Hugo a immortalisée dans des vers célèbres :

Galle, amant de la Reine, alla, tour magnanime
Galamment de l'arène à la tour Magne, à Nîmes.

C'est à cette même époque qu'est bâtie la Maison Carrée, temple de style grec dédié aux petits-fils d'Auguste. Mesurant vingt-six mètres de long sur quatorze mètres de large et dix-sept mètres de haut, la Maison Carrée était édifiée en bordure du forum. La chambre de la divinité (*cella*) abrite un musée des Antiques. Située de façon quasi idéale sur la voie domitienne, entre l'Espagne et l'Italie, la ville connaît son apogée sous Hadrien et sous Antonin, entre 117 et 161. La ville compte alors sans doute plus de vingt mille habitants. Sous le règne d'Antonin, de nouveaux quartiers sont aménagés, notamment le sanctuaire au pied du mont Cavalier qui comprend, outre la fameuse fontaine de Nemausus, un temple et des thermes. Au XVIIIe siècle, sur ce plan initial, l'ingénieur et paysagiste Mareschal dessine le jardin de la Fontaine, qui reste aujourd'hui une promenade très agréable.

L'amphithéâtre, construit à la fin du premier siècle de notre ère, reste impressionnant. Il est à peu près contemporain de celui d'Arles, de dimensions égales, mais beaucoup mieux conservé. Les arènes de Nîmes peuvent contenir vingt-quatre mille spectateurs sur trente-quatre rangs de gradins.

La façade de l'amphithéâtre est percée de deux rangs de soixante arches et atteint vingt et un mètres de haut. L'entrée principale était au nord, on la reconnaît aux taureaux qui la décorent. Des combats d'animaux ou de gladiateurs étaient régulièrement organisés, parfois en présence de l'empereur.

Après la chute de l'Empire romain, les Barbares transforment les arènes en forteresse et au Moyen Age des maisons sont construites dans l'amphithéâtre. Ce n'est qu'au XIXe siècle qu'on restaure l'édifice, qui peut désormais accueillir les courses de taureaux.

L'histoire de la ville se caractérise aussi par l'intensité des luttes religieuses qui, au cours des siècles, ont ensanglanté la région : hérésies anciennes, persécution des Albigeois, expulsion des juifs, triomphe de la Réforme, résistance des catholiques, guerres de Religion…

Nîmes a joué un grand rôle dans la vie de nombreux écrivains et artistes. Alphonse Daudet est né au numéro 20 du boulevard Gambetta. En 1783, le peintre Hubert Robert visite Nîmes et c'est peut-être là qu'il ressent pour la première fois sa passion pour le monde antique. Ses tableaux mettront harmonieusement en relation le romantisme naissant et la nostalgie de la beauté classique. Le musée des Beaux-Arts, rue Cité-Foulc, réunit, outre d'intéressantes collections, les œuvres de nombreux peintres qui séjournèrent à Nîmes.

Le pont du Gard

L'une des constructions les plus impressionnantes de la région reste sans conteste l'extraordinaire pont du Gard, qui enjambe la vallée du Gardon au nord-est de Nîmes : 275 mètres de long, 49 de haut, trois étages d'arcades d'une parfaite harmonie. C'est la partie la plus spectaculaire de l'aqueduc romain bâti pour amener l'eau de la région d'Uzès vers Nîmes.

Le pont proprement dit remonte à l'an 19 av. J.-C. La clémence du climat et l'ingéniosité des bâtisseurs ont favorisé son excellent état de conservation, et dans cette atmosphère enchantée qui évoque l'Italie ou la Grèce, l'aqueduc révèle toute la force et la grâce de l'architecture antique.

Le pont du Gard

A quelques kilomètres de Remoulins se dresse le pont du Gard dans un beau site préservé. Ses trois rangées d'arcades superposées, de dimensions différentes, donnent à l'ensemble une étonnante impression de légèreté, dénuée de toute répétition. Sur les deux rives, des sentiers courent la garrigue d'un point de vue à l'autre. Du château de Saint-Privat, sur la rive droite, l'on a une vue magnifique sur le pont.

Uzès

En remontant vers le nord-ouest, à travers les garrigues, on découvre Uzès, ville d'art et d'histoire. Jean Racine y a séjourné et André Gide a minutieusement décrit les offices auxquels son grand-père Gide assistait en plein air, debout, chapeau sur la tête comme tous les autres fidèles cévenols qui semblaient si rudes au jeune parisien invité dans sa famille paternelle.

Au cœur de la ville, parmi de nombreux hôtels, le château des ducs d'Uzès, ou Duché, s'impose, avec la tour de la Vicomté, la tour Bermonde, gros donjon carré du XIe siècle, et un magnifique logis Renaissance construit sur les plans de Philibert Delorme.

La tour de l'Horloge, au sud du Duché, et la tour Fenestrelle, à l'est, sont toutes deux du XIIe siècle. Cette dernière, vestige de la cathédrale détruite lors des guerres de Religion, est célèbre par son clocher cylindrique à fenêtres géminées, unique en France. L'ancien palais épiscopal, édifice du XVIIe, abrite un musée.

Beaucaire et Tarascon

Après cette intrusion dans la vallée du Gardon et en revenant vers le sud, on rejoint Beaucaire et Tarascon. Place forte médiévale au bord du Rhône, Beaucaire conserve le souvenir de la célèbre foire qui se tenait au pied du château, bâti au XIIIe siècle et démantelé par Richelieu. On imagine mal aujourd'hui l'importance et le rayonnement d'une telle foire qui pouvait attirer pendant près d'un mois plus de deux cent mille visiteurs. Créée au XIIIe siècle, la foire de Beaucaire atteint son apogée cinq cents ans plus tard.

De l'autre côté du Rhône, Tarascon évoque la figure légendaire et monstrueuse de la Tarasque, ou encore le personnage de Tartarin. Mais, c'est surtout l'étonnant quadrilatère légèrement incurvé vers le haut que forme son château qui retient l'attention. La formidable forteresse du roi René, baignée par le Rhône et entourée de larges fossés, deviendra une prison au XVIIe siècle. On aurait pu y enfermer la terrible Tarasque si sainte Marthe n'avait auparavant apprivoisé l'horrible animal. Le souvenir de cette légende hante sans doute l'église Sainte-Marthe, reconstruite au XIVe siècle. Riche en œuvres d'art, elle renferme notamment, dans sa crypte, le sarcophage de sainte Marthe et le tombeau de Jean de Cossa, sénéchal de Provence.

Le clocher de l'église d'Uzès

Uzès, ancienne ville forte, est l'un des plus anciens duchés de France. Marquée par la Réforme, la ville compte de nombreux hôtels et édifices religieux intéressants. Uzès reste en particulier célèbre pour le clocher cylindrique de son ancienne cathédrale : la tour Fenestrelle est en effet le seul vestige de la cathédrale romane qui fut détruite lors des guerres de Religion. Au pied de la tour, haute de quarante-deux mètres, les jardins Jean-Racine offrent une belle occasion de promenade.

Saint-Gilles

En retraversant le Rhône et en descendant vers le sud, on découvre Saint-Gilles, l'une des portes de la Camargue. L'église Saint-Gilles, vestige de l'ancienne abbatiale du XIe siècle, a été très malmenée par l'Histoire. Elle conserve néanmoins une admirable façade romane avec trois portails réunis par une colonnade.

Les sculptures, qui ont fait école dans toute la région, représentent la vie du Christ et des apôtres. Elles ont été détériorées pendant les guerres de Religion et sous la Révolution. L'escalier de la tour nord, ou "vis de Saint-Gilles", est un célèbre exemple de la taille des pierres, maintes fois reproduit dans les "chefs-d'œuvre" de compagnons.

Centre de pèlerinage situé sur l'une des routes conduisant à Saint-Jacques-de-Compostelle, Saint-Gilles souffrira des conséquences de la guerre des Albigeois comme de la concurrence du port d'Aigues-Mortes.

Aigues-Mortes

Le port royal d'Aigues-Mortes, aménagé dès sa fondation à quelque distance de la mer, surplombant un site lagunaire (les "eaux mortes", d'où son nom), remonte au XIIIe siècle, lorsque saint Louis, souhaitant prendre la tête d'une croisade vers la Palestine, choisit cet emplacement pour l'embarquement de ses troupes. On peut imaginer le départ de l'armada de saint Louis vers la Terre Sainte...

Si le port est depuis longtemps ensablé, la ville a conservé ses remparts en parfait état, avec ses courtines surmontées de chemins de ronde et ses grosses tours aux formes variées. La puissante tour de Constance, donjon circulaire de vingt-deux mètres de diamètre et de quarante mètres de haut, a été construite entre 1240 et 1249. Elle servit pendant cinq cents ans de prison pour les Templiers et pour les huguenots. L'enceinte proprement dite a été édifiée après la mort de saint Louis. Les rues rectilignes de la ville se croisant à angle droit témoignent de l'architecture urbaine des bastides méridionales.

Aigues-Mortes fut l'une des places de sûreté accordée aux protestants à la suite de l'Edit de Nantes. La création du port de Sète, au XVIIIe siècle, porte un coup certain à son économie et entraîne son déclin.

Avignon, le Comtat Venaissin et le plateau de Vaucluse

Avignon reste l'une des villes les plus attirantes qui soient et mérite bien que l'on s'y attarde. Même si la future cité des Papes a été un centre gallo-romain florissant, les vestiges antiques n'y sont pas légion, à la différence de Nîmes ou d'Arles. Nous sommes ici en terre médiévale et, par bien des aspects, Avignon évoque quelque ville italienne, perdue dans un Quattrocento idéal. En dehors des périodes estivales, on peut se prendre à rêver dans les rues de la vieille cité et, du haut du Rocher des Doms, contempler le Rhône, le pont Saint-Bénézet ou encore "toutes les rivières du Comtat" et les merveilles qui jalonnent "la riche terre du Venaissin", comme disait Frédéric Mistral.

En 1937, Charles Maurras préconise de visiter Avignon le vendredi, car la ville, traditionnellement désertée par ses habitantes, "princesses et fées, faunesses et dames de cour", peut alors s'offrir au visiteur pour elle-même. A l'époque, en souvenir de la Passion de Jésus-Christ, nombre d'Avignonnaises gardaient en effet la maison le vendredi. Mi-sérieux, mi-amusé, le grand écrivain provençal poursuit :

"Il débarque parfois aux portes d'Avignon des voyageurs (...) A peine ont-ils passé l'octroi, qu'ils se transforment, leur cortège ne compte plus que des amants. Ils ont vu de la route quel magnifique autel gothique couronne la roche des Doms et quelle solide dentelle ceint tout le corps de la cité ; parvenus au cœur d'Avignon, c'est d'une certaine nuance de châtain clair qu'ils ont l'âme prise."

Maurras retrouverait-il son Avignon de nos jours ? C'est fort possible, car l'ancienne cité papale a conservé toute son exubérance et son animation débridée. Même si elle a perdu son université depuis la Révolution, Avignon reste une ville jeune et un haut lieu de la culture.

La cité des Papes

Débordant de ses remparts du XIVe siècle, la ville s'étale sur la rive gauche du Rhône, au sud de l'île de la Barthelasse, dans le confluent de la Durance.

Ce qui va marquer le destin d'Avignon, port fluvial et centre de négoce médiéval, c'est bien l'installation de Clément V, pape d'origine française, qui, au début du

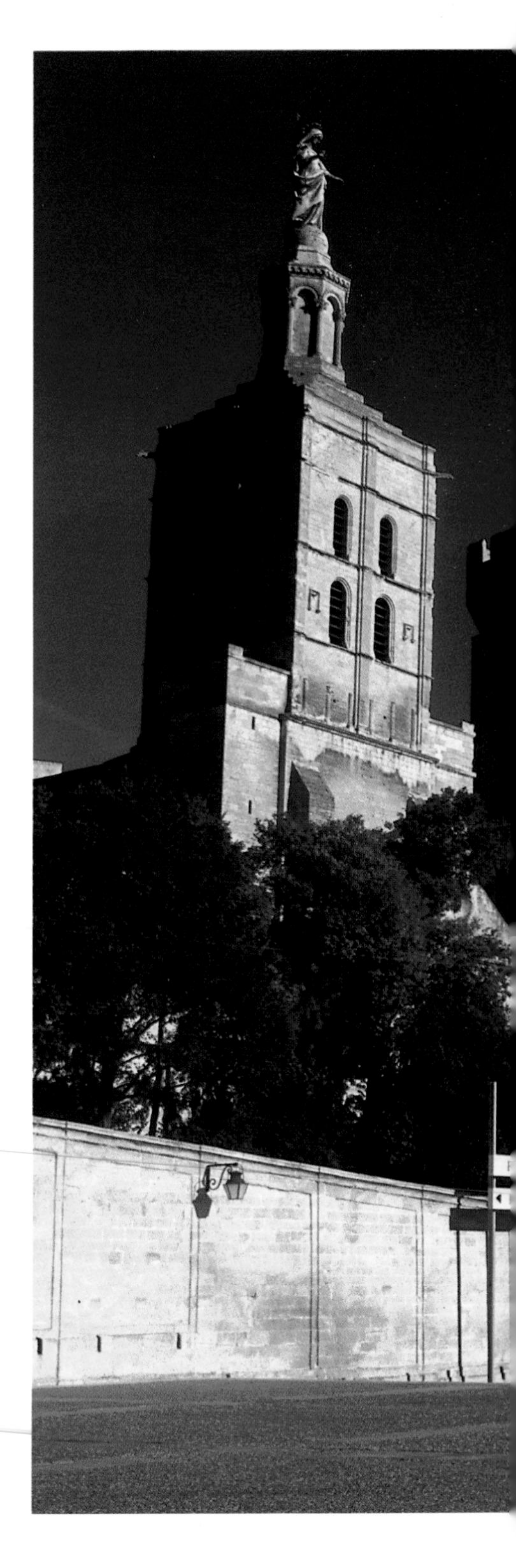

Le palais des Papes

Le palais des Papes, véritable forteresse et cité dans la cité, surgit comme une falaise à l'est de la ville, au bord du Rhône, qu'il domine de sa masse imposante. A ses côtés se dresse la cathédrale Notre-Dame-des-Doms, dont le grand clocher-porche est surmonté d'une statue de la Vierge. Construite au XIIe siècle, la cathédrale a subi de nombreuses déprédations, notamment pendant la Révolution. Sur la rive droite du Rhône, des remparts du fort Saint-André qui dominent Villeneuve-lès-Avignon, l'ancienne ville des cardinaux, la vue est superbe sur la cité des Papes.

PAPES
MUSEE

XIVe siècle, déserte Rome, devenue peu sûre, et qui obtient, de surcroît, la "bénédiction" de Philippe le Bel. Même s'il réside, en fait, à Carpentras ou à Malaucène, Clément V se rend souvent dans la cité.

Le séjour des papes en Avignon dure jusqu'en 1378, à la mort de Grégoire XI, mais le Grand Schisme, qui déchire la chrétienté, maintient l'existence d'une cour pontificale en la personne d'un "anti-pape", que les rois de France soutiennent pendant près de trente ans. De 1309 à 1378, sept papes se succèdent et donnent à la ville et aux environs un rayonnement exceptionnel, dont on mesure l'influence encore aujourd'hui. Non seulement dans le palais forteresse, mais aussi dans tout le Comtat Venaissin, qui ne sera rattaché à la France que par un coup de force de la Révolution. A Châteauneuf-du-Pape, à Valréas, à Carpentras, on retrouve cette présence bienfaisante.

Le grandiose palais des Papes comprend le Palais Vieux du cistercien Benoît XII (1334-1342), au nord et, au sud, l'élégant Palais Neuf de Clément VI (1342-1352), séparés par la cour d'honneur. L'essentiel de cette résidence princière sans équivalent est édifié en une trentaine d'années, ce qui apparaît comme fort peu si l'on songe qu'il couvre une superficie de près de deux hectares ; de l'extérieur, le palais présente l'aspect de deux formidables forteresses accolées l'une à l'autre, avec des tours gigantesques de cinquante mètres de haut et d'impressionnantes murailles à mâchicoulis, construites dans le roc. Le Palais Vieux comporte la salle du Consistoire, où se réunissaient le pape et ses cardinaux, et la chapelle Saint-Jean, au rez-de-chaussée. Au premier étage, on découvre le Grand Tinel ou salle des Festins, l'une des plus grandes salles du Palais, longue de quarante-huit mètres, et la chapelle Saint-Martial.

Passant dans le Palais Neuf, on gagne la chapelle Clémentine de Clément VI et, en descendant le Grand Escalier, la salle de la Grande Audience, où se tenait le tribunal ecclésiastique. Les nombreux appartements et les salles d'apparat du Palais sont à peu près vides et ont été pillés pendant la Révolution. Aujourd'hui, l'ensemble paraît démesuré et quelque peu froid. On éprouve même quelques difficultés à imaginer les fastes d'antan. Au XIXe siècle, on s'est avisé d'installer une caserne dans le palais, et la plupart des murs ont été recouverts d'une couche de peinture grise uniforme. Ainsi, ont été préservées nombre de précieuses fresques, qui purent être restaurées après le départ des militaires.

Sur la grande place du Palais, qui tranche par ses dimensions avec les petites rues avoisinantes, l'hôtel des Monnaies, XVIIe, a belle allure et évoque, par sa façade sculptée, les demeures des princes italiens ; de nombreux artistes transalpins y ont d'ailleurs séjourné. Au nord du Palais Vieux, la cathédrale Notre-Dame-des-Doms, magnifique édifice roman construit au XIIe siècle, remanié au XVe et au XVIIe, jouxte le beau jardin du Rocher des Doms, qui surplombe le Rhône au nord et la ville à l'est. Tout au bout de la place du Palais, le Petit Palais, ancien archevêché, présente de splendides collections de peinture et de sculpture, du Moyen Age à la Renaissance, et notamment des maîtres italiens et de l'Ecole d'Avignon.

Le quartier de la Balance, jadis habité par les gitans et restauré dans les années soixante-dix, mène jusqu'aux remparts et au pont Saint-Bénézet, le fameux "pont d'Avignon", "où l'on y danse tous en rond". Selon

une légende locale, c'est un pâtre inspiré, venu du Vivarais, nommé Bénézet ("petit Benoît"), qui le construisit, aidé des Frères Pontifes, en un peu plus de dix ans, au XIIe siècle.

Plusieurs fois emporté par les crues du Rhône et reconstruit, le pont comportait vingt-deux arches sur près de neuf cents mètres de long. Il n'en conserve que quatre aujourd'hui et il ne mène plus à Villeneuve-lès-Avignon, réplique royale de la cité papale. Autour de la ville, les remparts, jalonnés par d'impressionnantes tours à créneaux, sont longs de plus de quatre kilomètres.

La cité des Papes tient toute entière en cet espace et nombreuses sont les rues qui ont conservé leur cachet. Il faut se promener rue Joseph-Vernet, rue Peyrollerie, rue Banasterie (du nom des fabricants de corbeilles en osier ou *banastes*), rue du Roi-René, qui commence place Saint-Didier, et plus encore vers l'est, rue des Teinturiers, le long de l'étroite artère d'eau de la Sorgue, où subsistent encore quelques moulins. Ponctuée d'une ribambelle de tours et de clochers, Avignon, la *"ville sonnante"* de Rabelais, renferme plusieurs églises remarquables : Saint-Didier, superbe exemple de gothique méridional qui abrite le retable du Portement de la Croix de Francesco Laurana ; Saint-Agricol ; Saint-Symphorien ou l'église des Carmes ; la chapelle des Pénitents-Noirs de la Miséricorde ; la chapelle des Pénitents-Gris, dont la confrérie subsiste encore ; le couvent des Célestins ; les Augustins, dont la flèche tronquée s'orne d'un campanile de fer forgé ; la petite chapelle Saint-Nicolas, sur l'une des piles du pont Saint-Bénézet…

Face à l'église Saint-Pierre, au cœur du vieil Avignon, se trouve le musée Aubanel, avec ses collections de manuscrits, de livres rares et de presses à bras, qui perpétue aussi le souvenir de cette famille d'imprimeurs-éditeurs, dont l'origine remonte à 1744.

Le théâtre d'Orange

Le théâtre antique d'Orange a été édifié sous le règne de l'empereur Auguste. Parmi l'un des mieux conservés du monde romain, il surprend par ses dimensions. Son immense mur de scène conserve une grande statue d'Auguste. Louis XIV, émerveillé par ce spectacle architectural, désigna le théâtre d'Orange "comme le plus beau mur" de son royaume.

Gigondas

Sur la route du mont Ventoux, entre Séguret et Beaumes-de-Venise, le village de Gigondas, situé au flanc d'une colline, permet de découvrir, si on ne le connaît pas encore, un vin rouge réputé, le gigondas, qui reste l'un des meilleurs côtes-du-rhône

Le poète Théodore Aubanel, l'un des fondateurs du Félibrige, écrit, en 1855, l'un de ses textes les plus célèbres : *les Filles d'Avignon* (*Li Fiho d'Avignoun*). A peu près à la même époque, Joseph Roumanille, un autre félibre, ouvre une librairie rue Saint-Agricol.

Quant à Frédéric Mistral, qui a passé une partie de son enfance à Avignon, plusieurs de ses œuvres sont directement inspirées par la cité des Papes. En 1891, Mistral et Folco de Baroncelli-Javon fondent dans l'ancien hôtel de Baroncelli-Javon – le palais du Roure – *L'Aïoli*, un journal entièrement écrit en provençal. Berceau du Félibrige, Avignon reste aussi associée au nom de Jean Vilar qui, en 1947, fonda le festival d'Art dramatique. Dans le cadre prestigieux du palais et de la cour d'honneur, chaque année, durant l'été, des créations théâtrales attirent une foule nombreuse. Depuis 1967, le festival accueille également des manifestations chorégraphiques et musicales.

Orange, de la colonie romaine à la maison de Nassau

A partir d'Avignon, le Comtat déploie ses splendeurs. En dépit de sa position stratégique sur le front touristique estival, Orange, l'antique Arausio, conserve bien des charmes. Ancienne principauté enclavée dans le Comtat Venaissin, bientôt partie intégrante de la maison des Baux, Orange entre dans le sphère d'influence de Guillaume de Nassau, fondateur de la république des Provinces-Unies, au XVIe siècle. Devenue un centre actif de la Réforme, elle accueillera de nombreux protestants persécutés lors des guerres de Religion.

Orange restera "hollandaise" jusqu'au traité d'Utrecht, en 1713, qui marque son rattachement au royaume de France. L'ancienne colonie romaine nous a laissé l'un des plus beaux théâtres antiques de l'Empire

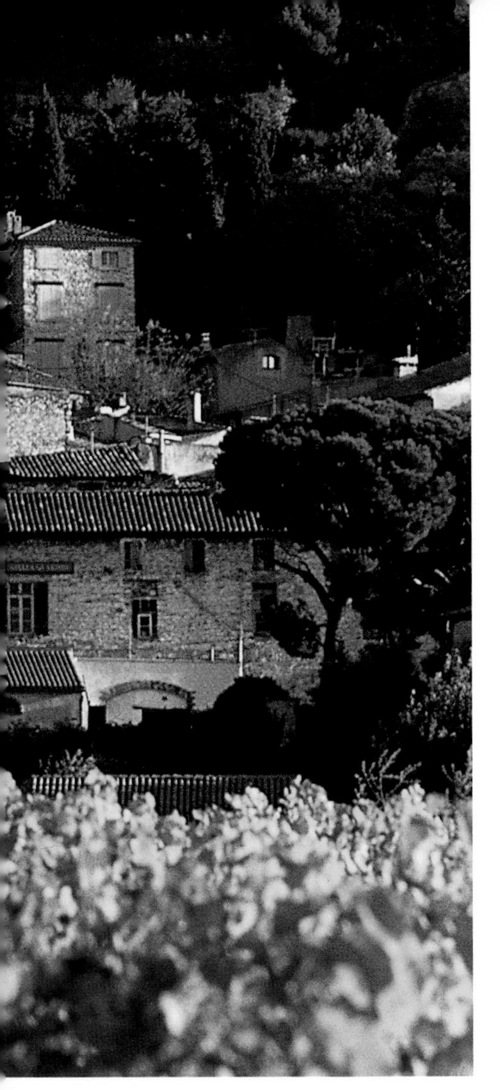

Rousse, qui conserve son château, et Valréas, ancienne enclave papale dans la Drôme. Non loin de là, le château de Grignan garde le souvenir de Madame de Sévigné. En redescendant vers le Ventoux et le Luberon, on découvre Nyons, dans la plaine du Tricastin. La région produit des olives et plusieurs moulins à huile traitent l'olive de Nyons, réputée pour sa qualité.

Vaison-la-Romaine

Au nord des célèbres dentelles de Montmirail qui limitent le massif du Ventoux vers la vallée du Rhône, se trouve Vaison-la Romaine, avec sa magnifique ville haute. La ville moderne, sur la rive droite de l'Ouvèze, recouvre les quartiers romains partiellement dégagés, dont les vestiges s'étendent sur plus de treize hectares. Les fouilles ont permis de mettre à jour la superbe *domus* des Mesii, dans le quartier de Puymin, et d'autres belles demeures dans le quartier de la Villasse.

Le site comporte, en outre, une promenade aménagée appelée le portique de Pompée, un théâtre, les restes de thermes et plusieurs rues, dont certaines incomplètement dégagées.

La ville médiévale, abandonnée à la fin du XVIIIe siècle, mais "redécouverte" par Mérimée, occupe le rocher de la rive gauche de l'Ouvèze que domine le château XIIe des comtes de Toulouse. On y a une fort belle vue sur les Baronnies et le Ventoux.

romain. Le mur de scène, remarquablement sauvegardé, frappe l'imagination par ses dimensions imposantes, cent trois mètres de long sur trente-sept mètres de haut. Les gradins de pierre, en demi-cercle, s'adossent à la colline Saint-Eutrope, ce qui explique peut-être leur excellente conservation. Derrière la scène, dans une haute niche, se dresse une imposante statue de l'empereur Auguste. Le théâtre peut contenir dix mille spectateurs et c'est là que se tient le fameux festival lyrique des Chorégies.

A l'entrée nord de la ville, l'arc de triomphe, l'un des plus importants monuments romains du genre, a été bâti vers 20 av. J.-C. pour commémorer les victoires sur les Gaulois. Marquant la via Agrippa, qui remontait le Rhône et reliait Arles à Lyon, il se distingue par sa remarquable conservation, malgré sa transformation en fortin au Moyen Age.

En poussant plus loin vers le nord, on gagne Bollène, petite cité provençale caractéristique, Suze-la-

Le mont Ventoux

Au départ de Vaison-la-Romaine, le chemin idéal pour aborder le Ventoux passe par Séguret, village typique du Vaucluse, d'où l'on peut admirer les Dentelles de Montmirail, dernier contrefort des Alpes avant la vallée rhodanienne. Ce sont de belles collines boisées de pins et de chênes, dont l'altitude ne dépasse pas 730 mètres. Ce nom de dentelles vient de l'extraordinaire découpage de leurs crêtes.

La route permet ensuite de visiter Gigondas, célèbre pour son vin rouge, Beaumes-de-Venise, Malaucène, vieux bourg pittoresque et, tout près, la petite chapelle romane et la source du Groseau. Dominant la vallée du Rhône à l'ouest, le plateau de Vaucluse au sud, la montagne de Lure à l'est et les Baronies au nord, le mont Ventoux culmine à 1912 mètres, ce qui le place bien audessus des autres montagnes rhodaniennes. Son sommet enneigé, six mois sur douze, lui donne un petit aspect inaccessible, encore accentué par les bourrasques du mistral d'une rare violence ("E Ventour, que lou tron Laouro", "Le Ventoux que tonnerre laboure", Mistral).

La montée au mont Ventoux mérite que l'on s'y attelle et nul ne sera déçu de l'excursion qui reste l'une des plus belles de Provence. Après les plateaux et les forêts de pins, de hêtres et de chênes verts, s'étagent une végétation alpestre et des échantillons de fleurs rares ; vers le sommet, une succession de "casses", champs de cailloux constitués par la désagrégation du calcaire, donne l'illusion d'un manteau neigeux. Le panorama, exceptionnel, porte sur les Alpes, les Cévennes, le Vivarais, le Luberon, la montagne Sainte-Victoire, la Camargue et la vallée du Rhône. La descente peut s'opérer par le versant sud : Le Chalet-Reynard, Saint-Estève, Bédoin, Caromb, jusqu'à la plaine de Carpentras.

Carpentras

Capitale du Comtat Venaissin, Carpentras se développe sous l'autorité pontificale et se voit même dotée au XIVe siècle d'une imposante enceinte, hélas rasée au XIXe siècle. La personnalité de ses évêques et en particulier celle de Malachie d'Inguimbert, fondateur de l'Hôtel-Dieu et de la grande bibliothèque qui porte son nom, ajoute encore à son prestige.

Au centre de la ville, la cathédrale Saint-Siffrein, construite aux XVe et XVIe siècles, possède un magnifique portail gothique flamboyant : la porte juive, que les juifs convertis empruntaient pour la cérémonie du baptême. La plus ancienne synagogue de France, vestige du ghetto de Carpentras, nous rappelle l'existence des "juifs du pape".

La Fontaine de Vaucluse

Au sud-est de Carpentras, on découvre, au milieu des chênes et des pins, la vieille cité de Vénasque, qui domine la vallée de la Nesque. Au sud de Vénasque, une petite route conduit à l'abbaye de Sénanque et au merveilleux village perché de Gordes.

Située en bordure du plateau de Vaucluse, la petite ville de Pernes-les-Fontaines fut la capitale du Comtat avant Carpentras ; elle conserve nombre de vestiges fortifiés du XIVe au XVIe siècle. Peuplée de fontaines, elle semble annoncer le site de la Fontaine de Vaucluse, déjà célébrée par Pétrarque, adorateur éternel de la belle Laure de Noves, au XIVe siècle.

Le lieu, au fond d'une "reculée" rocheuse, est très beau. Il devient extraordinaire en hiver ou au printemps, lorsque la résurgence en hautes eaux restitue en cascade un véritable torrent qui se brise sur les rochers. L'Isle-sur-la-Sorgue, la patrie du poète René Char, n'est pas loin. Jadis, cette ville, entourée par les bras de la Sorgue, abritait de nombreux moulins, dont subsistent quelques anciennes roues. Ceux-ci servaient notamment à l'industrie du papier. L'église, XVIIe, est renommée pour sa décoration de boiseries dorées.

Pages suivantes
Gordes
Gordes, la vieille ville perchée, dominant le pays d'Apt et face au Luberon, est l'un des hauts lieux du Vaucluse et de la Provence. "Pour avoir une idée de la variété de Gordes, il faut, dès le premier jour, visiter le village de haut en bas, le quartier des Rapières ou coin des rochers, la garrigue et ses " maisons gauloises " jusqu'à la Sénancole, la plaine et ses belles maisons dispersées d'où l'on a une vue émouvante sur la cité... "

(André Lhote, Petits itinéraires à l'usage des artistes, 1943).

L'abbaye de Sénanque

Sénanque est l'une des rares abbayes cisterciennes à avoir conservé ses édifices monastiques tels qu'ils se présentaient au XIIe siècle. Au XVIe siècle, le monastère subit les contrecoups des conflits religieux qui dévastent la région et, au siècle suivant, Sénanque voit sa communauté réduite au strict minimum.

Après les vicissitudes de la Révolution et la politique des expulsions, au début du XXe siècle, l'abbaye retrouvera le calme. Les derniers moines quitteront l'abbaye en 1970.

Gordes

Le vieux bourg de Gordes s'étage sur la frange des plateaux de Vaucluse. C'est l'un des plus typiques villages perchés de Provence. Ses ruelles escarpées, qui ont enchanté André Lhote, incitent à la flânerie. L'église et le château Renaissance, au sommet du promontoire, couronnent l'ensemble. Un musée Vasarely a été aménagé dans le château. Non loin du village, on peut visiter un hameau organisé en musée d'habitat rural et contempler les fameuses bories, ces curieuses cabanes que l'on rencontre sur le plateau de Vaucluse et dans le Luberon.

Sénanque

Admirablement située au fond du vallon de la Sénancole, perdue parmi les chênes et les champs de lavande, l'abbaye de Sénanque semble inviter tout naturellement à la prière et au recueillement. Joyau de l'art roman provençal, l'église de l'abbaye répond bien à l'idéal cistercien d'austérité et de simplicité.

Le Luberon

Longue croupe calcaire boisée entre pays d'Apt et Durance, le massif du Luberon s'étend sur près de soixante-dix kilomètres, de Cavaillon à Manosque, la patrie de Jean Giono.

Montagne secrète et magnifique, le Luberon regorge de sites merveilleux : villages haut perchés, bourgs rocailleux perdus dans les cyprès, innombrables ruines, sentiers à l'infini… Tout ici respire le silence et la solitude, et l'on a peine à croire que la région fut le théâtre de sanglants événements, voici près de cinq cents ans, lorsque l'hérésie vaudoise s'attira les foudres du Parlement d'Aix. Une terrible répression s'abat alors sur le paisible Luberon ; de nombreux villages, parmi lesquels Lacoste, Lourmarin, Mérindol, sont rayés de la carte et des centaines d'hérétiques ou présumés tels sont égorgés ou pendus. Extirpée par le fer et par le feu, l'hérésie vaudoise disparaît dans le sang, mais les excès de zèle des massacreurs semblent émouvoir jusqu'au pouvoir royal.

Le Grand Luberon

Le Luberon a retrouvé depuis longtemps sa tranquillité, on pourrait même penser qu'il s'est replié sur lui-même, tant il apparaît parfois comme isolé dans ses petites montagnes.

On distingue de chaque côté de la saillie faite par la combe de Lourmarin, le Grand Luberon à l'est, qui domine le pays d'Aigues au sud, et le Petit Luberon à l'ouest.

Dans le Grand Luberon, le Mourre Nègre culmine à 1125 mètres. De ses hauteurs, l'on a une vue splendide sur la montagne de Lure et les Préalpes de Digne au nord-est, la vallée de la Durance au sud-est, les Alpilles au sud-ouest et le mont Ventoux au nord-ouest. La petite ville d'Apt, sur le Calavon, constitue le point de départ idéal à la visite du Grand Luberon. Ancienne cité romaine connue sous le nom de Colonia Julia Apta, Apt est la capitale des fruits confits et de la confiture. Cette charmante vieille ville provençale, enserrée dans ses boulevards, possède une ancienne cathédrale, l'église Sainte-Anne, édifiée au XIIe siècle, mais remaniée à plusieurs reprises. Les reliques de sainte Anne et un riche trésor y sont conservés.

Le Colorado provençal

Au nord-est d'Apt, se déploient les étonnants paysages du Colorado provençal. La symphonie de couleurs - rouge, orange, jaune vif - qui donne aux carrières cet aspect fantastique, provient de l'ocre (mélange de sable et d'oxyde de fer), qui était déjà connue comme colorant durant l'Antiquité. Une légende remontant au Moyen Age prétend que ce rouge si intense émane du sang de la belle Sermonde de Roussillon ; elle s'était en effet précipitée du haut d'une falaise, après que son mari ait assassiné le troubadour dont elle était amoureuse. Un détail sinistre avait précipité le drame : Sermonde avait mangé à son insu le cœur du troubadour que lui avait servi son mari lors d'un repas plantureux.

Au nord-est, le Colorado provençal, dans des carrières d'ocre spectaculaires, dévoile ses splendeurs. Un grand circuit pédestre parcourt des paysages de bois de pins et de falaises aux couleurs et aux formes insolites.

Au sud-est d'Apt, le plateau des Claparèdes abrite de nombreuses bories, ces cabanes de pierre sèche aux origines incertaines, et surplombe de beaux villages

comme Saignon, Auribeau, Castellet, Céreste. D'autres sites méritent qu'on s'y arrête : Cucuron, Pertuis, la patrie de Mirabeau, La Tour d'Aigues, Ansouis, qui conserve le château du duc de Sabran, Cadenet, Lourmarin et son château Renaissance qui s'insère magnifiquement dans le paysage, le fort de Buoux, bâti sur un promontoire rocheux.

Silvacane

Située sur la rive gauche de la Durance, à quelques kilomètres de Cadenet, mais dans les Bouches-du-Rhône, l'ancienne abbaye cistercienne de Silvacane surprend le visiteur par ses proportions harmonieuses. Comme toutes les abbayes provençales, elle s'intègre à un site admirable.

Fondée au XIIe siècle, Sénanque connaîtra bien des tourments au cours des siècles. Elle comprend une très belle église du XIIe, un cloître et de magnifiques bâtiments conventuels du XIIIe, ainsi qu'un réfectoire, reconstruit au XVe siècle.

Le Petit Luberon

La partie occidentale du Luberon, appelée ainsi du fait de son altitude moindre, compte aussi nombre de merveilles. La route des Hautes Plaines dessert notamment le vieux village perché de Bonnieux, Lacoste, dominé par les ruines du château du marquis de Sade, avant de rejoindre Ménerbes et Oppède-le-Vieux.

Au nord, on découvre Notre-Dame-des-Lumières, sanctuaire du XVIIe siècle qui reste un centre de pèlerinage réputé. De là, on peut remonter la vallée du Calavon et gagner le pays de l'ocre et le Colorado de Rustrel.

Ménerbes et Oppède-le-Vieux

Le village fortifié de Ménerbes abrite une forteresse médiévale et de belles maisons. Du chevet de l'église de l'Assomption, construite au XIVe siècle, l'on a une vue étonnante sur Gordes, Roussillon et la vallée du Calavon. Non loin de là, à Saint-Pantaléon, on peut admirer une petite église romane, entourée d'une surprenante nécropole de tombelles creusées à même le roc.

Cependant, c'est bien Oppède-le-Vieux, véritable nid d'aigle entre ciel et terre, qui demeure l'un des sites les plus extraordinaires du Luberon. Edifié sur un éperon rocheux, le village, naguère déserté, revit depuis une cinquantaine d'années grâce aux efforts persistants d'un certain nombre d'amoureux des vieilles pierres. Plusieurs maisons ont été restaurées. Tout en haut, les ruines du château couronnent l'ensemble. Ancienne demeure des comtes de Toulouse, puis des seigneurs des Baux, la citadelle revient ensuite à la famille Maynier, dont l'un des membres, le sinistre baron d'Oppède, organisera le massacre des Vaudois au XVIe siècle.

Les villages de Maubec et de Robion conduisent à Cavaillon, centre maraîcher et important marché, célèbre dans le monde entier pour ses melons et ses primeurs. L'antique Cabellio compte plusieurs édifices remarquables : l'ancienne cathédrale Saint-Véran, roman provençal, remaniée au XVIIIe siècle ; la chapelle Saint-Jacques, nichée sur un ancien oppidum, parmi les pins et les cyprès ; le remarquable petit arc de triomphe romain à la décoration subtile. Une synagogue du XVIIIe siècle abrite un musée.

Oppède-le-Vieux
Dans le Petit Luberon, le village d'Oppède-le-Vieux, bâti sur un rocher à pic sur trois côtés, renaît après avoir failli disparaître à la fin du XIXe siècle. Les mauvais souvenirs liés aux méfaits du baron d'Oppède, depuis longtemps oubliés, ont laissé place au charme du lieu. De l'église, remaniée au XVIe et au XIXe siècle, l'on jouit d'une belle vue sur le village et la vallée du Coulon.

Le parc naturel régional du Luberon, créé en 1977, couvre plus de cent mille hectares, répartis sur les départements du Vaucluse et des Alpes-de-Haute-Provence. Il contribue largement à préserver le fragile équilibre naturel de ce massif naguère à l'abandon, mais aujourd'hui menacé par un tourisme envahissant.

Le pays d'Arles et la Camargue

En descendant le Rhône, entre Avignon et Arles, on longe le massif de la Montagnette qui se fond au ciel dans les brumes des matins. Ces collines, couvertes d'oliviers, d'amandiers, de pins et de plantes aromatiques, s'étendent entre la Durance et Tarascon.

Les villes que l'on rencontre ont pour nom Barbentane, Beaucaire, Tarascon. Là encore, on y trouve des villages perdus au milieu des vergers, comme Graveson, des bourgs fortifiés comme Boulbon, ou une belle abbaye comme Saint-Michel-de-Frigolet.

Saint-Michel-de-Frigolet et Montmajour

Fondée au Xe siècle par les moines de Montmajour, Saint-Michel verra des religieux de plusieurs ordres s'installer dans son enceinte. Vendue comme bien national pendant la Révolution, elle devient par la suite un collège où le jeune Mistral étudie quelque temps. En 1858, la vie conventuelle reprend avec l'arrivée des prémontrés. C'est à Saint-Michel-de-Frigolet – *ferigoulo* en provençal désigne le thym – qu'Alphonse Daudet songe quand il nous relate le savoureux conte du Révérend Père Gaucher et de son merveilleux élixir. De l'ancien monastère subsiste l'église Saint-Michel, le cloître et la chapelle Notre-Dame-du-Bon-Remède.

Non loin de Fontvieille, au pied des Alpilles, sur la colline qui domine la plaine d'Arles, les restes de l'abbaye de Montmajour ont fière allure. Le grand donjon fortifié du XIVe siècle – la tour de l'Abbé – évoque la puissance monacale et la rude époque des sièges. Les parties romanes de l'abbaye – de règle bénédictine – ont été restaurées avec soin au XIXe siècle, mais les constructions du XVIIIe restent en ruines.

Frédéric Mistral en Arles
La statue du poète provençal, érigée en 1909, se trouve place du Forum, au cœur de la vieille ville, dans un quartier animé et coloré qu'aurait apprécié le chantre du Félibrige. On aperçoit derrière la statue deux colonnes corinthiennes surmontées d'un fragment de fronton, vestiges d'un temple du IIe siècle qui faisait partie du forum, situé au sud de la place actuelle.
" En Arles au temps des fées
Florissait
La Reine Ponsirade,
Un Rosier... "
(F. Mistral, 1899).

Arles, la Rome des Gaules

Port fluvial et porte de la Camargue, Arles, ancienne capitale romaine – le poète Ausone l'appelait "la petite Rome des Gaules" – renferme quelques joyaux qui contribuent largement à sa renommée : les arènes et le théâtre antique, l'église et le cloître Saint-Trophime, les Alyscamps.

Nulle part en France mieux qu'à Arles ne peuvent être saisis le talent et l'ingéniosité des urbanistes de la Rome antique. Dès le Ier siècle av. J.-C., la construction d'un canal permet de relier le Rhône au golfe de Fos, facilitant ainsi la navigation et les échanges commerciaux. Arelate devient un puissant comptoir et s'affranchit bientôt de la tutelle de sa voisine, Marseille. Le plan d'urbanisme a pu être reconstitué : les rues découpent la ville en damier. Deux grands axes partagent la cité qui comprend un forum, une basilique, des temples, des thermes, un théâtre et un amphithéâtre.

La position dominante d'Arles s'impose sous l'empereur Constantin et la ville voit croître son influence religieuse. Le premier évêque d'Arles, Trophime, a sans doute séjourné à Rome, et de nombreux conciles se tiendront dans ses murs. Les invasions barbares, la suprématie franque, les incursions des Sarrasins affaiblissent considérablement l'ancienne Rome des Gaules qui ne retrouvera jamais sa grandeur passée.

L'amphithéâtre et le théâtre

Construites vers la fin du Ier siècle de notre ère, les arènes pouvaient accueillir plus de vingt mille spectateurs pour assister aux jeux du cirque. Par la suite, tout comme le théâtre voisin, elles servirent de refuge aux citadins d'Arles qui voulaient se protéger des ravages perpétrés par les envahisseurs. Le théâtre, situé lui aussi dans le centre historique, a beaucoup plus souffert des épreuves du temps et un certain effort d'imagination est nécessaire pour reconstituer l'édifice dans toute sa splendeur. Beaucoup de ses pierres ont été utilisées pour la construction des églises de la ville et, au Moyen Age, il disparaît sous les habitations. Lors de sa réhabilitation au XVIIe siècle, on retrouva dans son sous-sol la Vénus qui enchantera le poète Aubanel :

"O douço Venus D'Arles, o fado de jouvenèço !
Ta bèuta que clarejo en touto la Prouvenço,
Fai bello nosti fiho et nosti drole san,
Souto aquelo caro bruno, o Venus ! i'a sang,
Sèmpre vièu, sèmpre caud. E nosti chato alerto
Vaqui perquè s'en van la peitrino duberto ;
E nosti gai jouvènt, vaqui perquè soun fort
I lucho de l'amour, di brau e de la mort."

"Ô douce Vénus d'Arles ! ô fée de jeunesse !
Ta beauté qui rayonne sur toute la Provence
Fait belles nos filles et sains nos garçons.
Sous cette chair brune, ô Vénus ! il y a ton sang
Toujours vif, toujours chaud. Et nos vierges alertes
Voilà pourquoi elles s'en vont la poitrine découverte
Et nos gais jouvenceaux, voilà pourquoi ils sont forts
Aux luttes de l'amour, des taureaux et de la mort."

La Vénus d'Arles fut offerte à Louis XIV qui la fit restaurer par Girardon. Elle figure désormais dans les collections du Louvre et son moulage peut être admiré au musée d'art païen d'Arles.

Les cailloux de la Crau

A l'est du théâtre antique et des arènes, la collégiale Notre-Dame-de-la-Major, belle église romane remaniée aux XIVe, XVIe et XVIIe siècles, abrite une statue en bois de saint Georges, le patron des gardians de Camargue. C'est l'un des points culminants de la ville d'où l'on a une vue très étendue sur la plaine de la Crau, entre la Camargue et l'étang de Berre.

Couvrant 600 km^{2}, la Crau comprend une partie nord, mise en valeur par l'irrigation, où abondent cultures maraîchères et fruitières, et une partie sèche au sud, ressemblant à une immense steppe caillouteuse, vouée à l'élevage des moutons.

Depuis la nuit des temps, ce désert de pierres, provenant de l'ancien lit de la Durance, intrigua les habitants de ces contrées et la mythologie grecque relata à sa façon l'origine fabuleuse de cette mer de cailloux : Hercule, aux prises avec les Ligures sur le chemin de l'Espagne, dut son salut à Zeus qui, du haut du ciel, fit pleuvoir sur les assaillants un véritable déluge de pierres qui finit par recouvrir tout le pays.

Les Alyscamps

Au sud de la ville, l'avenue des Alyscamps mène à l'entrée de l'allée funèbre des sarcophages, seul vestige de la célèbre nécropole antique et médiévale des Alyscamps qui, au XIIIe siècle, renfermait plusieurs milliers de tombes et de sarcophages.

En dépit des saccages et des avanies du temps, il se dégage du site une certaine atmosphère empreinte d'émotion. On peut, notamment, y contempler l'église Saint-Honorat, reconstruite au XIIe siècle, qui conserve un magnifique clocher roman à deux étages de baies en plein cintre. On dit qu'au Moyen Age, les cercueils de nombreux défunts de la région du bassin du Rhône dérivaient lentement au fil du fleuve jusqu'à Arles, où ils étaient alors transportés aux Alyscamps.

Exaltée par Dante dans la *Divine Comédie* (*"On vit dans Arles où le Rhône a des flots plus dormants : les sépulcres épars faire saillir la terre"*), chantée par les chroniqueurs, la nécropole inspira également Mistral et Van Gogh, qui y peignit plusieurs toiles.

Saint-Trophime

Derrière les vestiges et les colonnes du théâtre antique se profile le clocher de Saint-Trophime. A l'occasion de la Féria pascale, de la fête du Costume ou de la fête des Gardians, les Arlésiennes ont revêtu leurs plus beaux atours. Le costume arlésien, le plus typique de Provence, apparaît comme particulièrement pittoresque : longue jupe de couleurs en tissu provençal, corsage noir aux manches serrées, petit plastron blanc de tulle recouvert d'un fichu assorti à la robe ou en dentelle. La coiffure des Arlésiennes, chignon et petite coiffe faite d'un ruban de velours noir orné de dentelle, parachève l'ensemble.

Saint-Trophime

Dans le centre historique, sur la place de la République, le bel hôtel de ville, de facture classique, construit sur les plans de Jules Hardouin-Mansart, englobe un beffroi du XVIe siècle. Sur la même place, on a érigé au XVIIe siècle un obélisque antique en granit d'Egypte provenant du cirque romain d'Arles. Le musée d'art païen, installé dans l'ancienne église Sainte-Anne, présente de nombreuses pièces retrouvées dans les fouilles de la ville. Mosaïques, sarcophages, statues retracent les étapes de l'art primitif de la basse vallée du Rhône. En sortant du musée, on découvre le joyau de l'Arles médiévale : le prodigieux portail de l'ancienne cathédrale Saint-Trophime. Reconstruite au début du XIIe siècle pour recueillir les reliques de saint Trophime, traditionnellement considéré comme l'évangélisateur d'Arles, l'église illustre magnifiquement l'art roman provençal.

En 1178, l'empereur Frédéric Barberousse est couronné roi d'Arles dans la cathédrale Saint-Trophime terminée. Au XVe siècle, des travaux d'agrandissement sont entrepris et, au XVIIe siècle, on ouvre deux portes de chaque côté du portail. Celui-ci, célèbre pour ses sculptures et pour son ordonnance nourrie de l'antique, provient sans doute du même atelier que celui qui réalisa le portail central de Saint-Gilles. L'intérieur de l'église renferme de nombreux trésors : sarcophages finement sculptés, tableaux de maîtres flamands, tapisseries d'Aubusson.

Par l'archevêché voisin, on accède au cloître, l'un des plus beaux cloîtres romans qui soient. Construit au XIIe, il comprend aussi des galeries gothiques du XIVe siècle. Sa décoration sculptée est étonnante. Les chapiteaux sont ornés de feuillages et de scènes de l'Ancien Testament, mais aussi de sujets provençaux retraçant les origines chrétiennes de la ville d'Arles ou évoquant saint Trophime, sainte Marthe, la Tarasque... Les piliers d'angle aux sculptures en relief représentent, à travers les scènes de la Passion du Christ, des personnages qui rappellent ceux du portail de l'église.

Arles et ses musées

Non loin de là, à l'ouest, le musée d'art chrétien, dans l'ancienne chapelle des Jésuites, abrite une riche collection de sarcophages du IVe siècle. Du musée, on accède aux Cryptoportiques, vaste galerie souterraine de cent cinq mètres sur soixante et un remontant à l'Antiquité romaine et qui servait sans doute de grenier à blé.

Si l'on se sent gagner par l'atmosphère et si l'on s'intéresse à la vie provençale, on trouvera au musée Arlaten, "reliquaire de la Provence", de passionnantes collections d'histoire et de folklore, couvrant tous les thèmes de la vie quotidienne : croyances et légendes, rites et coutumes, art populaire et costumes, histoire et métiers, etc. Aménagé dans l'hôtel de Laval-Castellane, ce musée a été fondé par le poète Frédéric Mistral qui y a consacré l'argent que lui avait valu son prix Nobel de littérature.

Autre pôle de la vie culturelle arlésienne, le musée Réattu, au bord du Rhône, réunit, outre les œuvres de son fondateur, le peintre Jacques Réattu, une collection de peintures des XVIe, XVIIe et XVIIIe siècles. Installé dans l'ancien grand prieuré de Malte, le musée Réattu possède aussi un département d'art moderne avec des tableaux de Gauguin, Marquet, Dufy, Gromaire, Vlaminck, Léger, Vasarely et un superbe ensemble de dessins de Picasso. Il abrite encore des sculptures de Zadkine, Germaine Richier, César ou Pol Bury.

Arles et Vincent Van Gogh

Le pont de Langlois, au sud de la ville, sur le canal Arles-Bouc. Ce pont, représenté à plusieurs reprises par le grand peintre, a été détruit en 1926, il s'agit donc d'une reconstitution. Vincent Van Gogh aimait se rendre sur les berges du Rhône où il peignait des heures durant. Même s'il y a peu vécu, Van Gogh appréciait beaucoup cette ville et sa lumière, ainsi qu'il l'a écrit à son frère Théo et à Gauguin.

Enfin, une importante section d'art photographique présente des clichés de Brassaï, Man Ray, Izis, Cartier-Bresson, Boubat, Lucien Clergue, etc. Vincent Van Gogh a vécu près de deux ans à Arles, de 1888 à 1889, et a laissé une correspondance, notamment à son frère Théo, où il fait part de ses impressions. Les couleurs de la Provence et la lumière du sud ("ce soleil plus fort") l'ont séduit et fasciné. L'Espace Van Gogh, situé dans l'ancien Hôtel-Dieu, au centre de la ville, perpétue ce souvenir.

Férias, corsos et farandoles

Arles est une ville active et pittoresque ; ses foires et ses marchés témoignent de son animation. Chaque année, la féria pascale voit accourir aficionados et passionnés des courses de taureaux tandis qu'au mois de mai, la fête des Gardians rassemble les défenseurs des traditions provençales. Durant la période des *corsos* de Pentecôte, les petites cités font assaut d'ingéniosité pour présenter leurs plus belles compositions.

La place du Forum et le boulevard des Lices, ombragé de ses fameux platanes, sont des lieux de promenades très appréciés. Si l'on n'y rencontre plus d'Arlésiennes en costume, comme au temps d'Alphonse Daudet, l'effervescence colorée des habitants reste au rendez-vous. De nombreuses festivités s'y déroulent, particulièrement lors de la féria ou lors des fêtes de la Saint-Jean. Commence alors la ronde effrénée des farandoles au son des fifres, des tambourins et des galoubets.

Entre ciel et terre, le royaume de l'eau mouvante

Quittant l'univers de la pierre, à la limite du monde des hommes, nous entrons dans le domaine sans fin où l'eau, la terre et le ciel semblent se fondre. Milieu unique en France, formé par le delta du Rhône, la Camargue renferme les somptueux fragments d'une nature préservée et encore sauvage. La création en 1928 de la réserve nationale de Camargue, puis en 1970 du parc naturel régional, a permis de sauvegarder l'essentiel. La réserve biologique intégrale de l'étang de Vaccarès reste même interdite d'accès. Il faut cependant constater qu'entre l'expansion touristique du Languedoc voisin et le complexe industriel de Fos-sur-Mer, la Camargue apparaît parfois bien menacée. D'autant plus que l'éternelle lutte entre l'eau et la terre, qui modifie lentement mais sûrement la configuration de l'embouchure, laisse peu de place aux certitudes.

D'un côté, l'apport de limon fait progresser la terre ; de l'autre, le rivage s'affaisse sous le poids des sédiments et recule devant la Méditerranée. S'étendant sur plus de 95 000 hectares, la plaine de Camargue se divise en trois zones distinctes qui peuvent toutefois s'interpénétrer.

Au nord, une partie reconquise par l'homme pour l'agriculture, le riz notamment, cependant en net recul depuis les années soixante-dix ; c'est la haute Camargue. Une zone de marais proche des grands étangs constitue la moyenne Camargue. Au sud, une zone sauvage où alternent sols marins et étangs saumâtres représente la basse Camargue.

La Camargue traditionnelle regroupe les manades, élevages de taureaux et de chevaux confiés aux gardians, défenseurs d'une tradition menacée mais qui perdure. L'engouement pour les jeux taurins, qui supplante parfois la passion des aficionados pour la corrida, entraîne l'intensification de l'élevage et celui-ci se porte bien. Quant aux gardians, toujours munis de leur trident, ils sont devenus des personnages de légende.

La faune et la flore sont d'une richesse exceptionnelle. De nombreux animaux sauvages subsistent tels le ragondin, le castor, la loutre ou le sanglier, mais ce sont surtout les oiseaux de toutes espèces qui prédominent : canards, passereaux, hérons, flamants, aigrettes, poules d'eau, gravelots, foulques, busards des roseaux, milans, éperviers, goélands argentés, mouettes rieuses, sternes, etc.

C'est hors saison que les conditions d'observation de la faune sont les meilleures, au début du printemps ou en automne. Une visite au musée camarguais, au mas du Pont de Rousty, siège du parc, s'avère indispensable pour tirer pleinement profit d'un milieu difficile à pénétrer, et apprécier ce pays sauvage.

Saintes-Maries-de-la-Mer

La légende des Saintes-Maries-de-la-Mer remonte au XIIIe siècle et retrace le périple de Marie Jacobé et de Marie Salomé, abandonnées en mer vers l'an 40 apr. J.-C., mais qui, grâce à la protection divine, finissent par s'échouer sur la côte, non loin de l'actuelle Saintes-Maries-de-la-Mer. Accompagnées de leur petite troupe, elles construisent un modeste oratoire, qui deviendra une église, et évangélisent la région. C'est à elles que l'on doit les pèlerinages des Saintes-Maries, qui ont lieu en mai et en octobre, et qui donnent lieu aux plus grands rassemblements gitans d'Europe.

Ces fêtes permettent de déployer tous les fastes du folklore arlésien : gardians, manadiers, Arlésiennes en costume traditionnel, gitans se rassemblent et traversent la ville en portant les statues des deux saintes jusqu'à la mer. Sarah, sainte patronne des gitans, retrouve ainsi la *Mireille* de Mistral, venue mourir dans les flots. Cet étonnant mélange de spectacle et de ferveur religieuse séduit nombre de touristes.

La Camargue

Jadis redoutée pour son sol marécageux et ses étendues d'eau insalubres, la Camargue doit beaucoup au mouvement de renaissance provençale lancée dans les années 1880 par Mistral. Le phylloxéra, ce fléau qui ravagea le vignoble français, a contribué aussi à favoriser la Camargue, car les vignes sont préservées du redoutable insecte si on les immerge dans l'eau pendant plusieurs jours. De longs travaux de drainage et d'irrigation ont permis, dans le nord du delta, de développer la culture de la vigne, du blé et du riz. A cela s'ajoute l'exploitation des salins. C'est cependant la Camargue traditionnelle, symbolisée par les manades de taureaux - lou biou en provençal - et les chevaux sauvages, qui retient les faveurs des visiteurs du parc naturel régional.

Aix-en-Provence

Lumineux et tranquille pays d'Aix, terre de transition entre la Provence sauvage du Luberon, comme repliée sur elle-même, et celle qui s'ouvre vers la mer. Aix-en-Provence est aussi la patrie de Paul Cézanne et le lieu d'élection du Festival international d'Art lyrique et de Musique, fondé en 1948, et devenu l'un des plus réputés d'Europe.

La fondation d'Aquae Sextiae Salluviorum

Au IIIe siècle av. J.-C., les Celto-Ligures qui occupent la région, les Salyens, ont pour capitale Entremont, place forte située au nord du site qui deviendra Aix-en-Provence. Les relations avec les puissants voisins massaliotes deviennent difficiles et Rome doit y mettre bon ordre. Après la prise et la destruction de l'oppidum d'Entremont, le proconsul romain Caïus Sextius Calvinus fonde, en 122 av. J.-C., un camp fortifié, Aquae Sextiae Salluviorum ("les eaux de Sextius"). Ce nom fait référence aux eaux des sources thermales abondantes dans la plaine et qui sont déjà connues à l'époque. La région reste cependant en proie aux invasions. Les Cimbres et les Teutons déferlent, mais le général romain Marius remporte une grande victoire en 102 av. J.-C., dans la vallée de l'Arc, et brise net l'élan des Barbares.

L'essor d'Aix

La cité d'Aix, bientôt élevée au rang de colonie, connaît un essor urbain considérable et s'orne de monuments prestigieux, à l'instar d'Arles ou de Nîmes : enceinte fortifiée, théâtre, amphithéâtre, thermes, temples, *villae*, dont il ne reste pratiquement rien aujourd'hui. Seuls quelques vestiges ont subsisté et ont été regroupés au musée Granet.

Capitale de la Narbonnaise Seconde au IVe siècle, puis siège d'un archevêché qui contrôle une province s'étendant de Gap à Fréjus, la ville est assiégée par les Wisigoths, puis par les Lombards, au VIe siècle, enfin par les Sarrasins (VIIIe-Xe siècles). Ces razzias successives portent un coup fatal à Aix, dont tous les grands monuments sont détruits ou servent à construire de nouveaux édifices. Le XIe siècle marque pour la cité le début de la renaissance ; autour de la cathédrale se développe le bourg Saint-Sauveur qui constitue le noyau le plus ancien d'Aix. Les rues qui entourent la cathédrale, le cloître ou l'archevêché ont d'ailleurs conservé leur caractère moyenâgeux. Résidence des comtes de Provence dès la fin du XIe siècle, Aix connaît une période faste : construction du palais comtal, installation des Hospitaliers de Malte dans un nouveau couvent.

C'est dans l'église de ce couvent que reposaient les comtes de Provence, mais leurs tombeaux ont été pillés à la Révolution. Le mariage de Charles d'Anjou avec Béatrice, comtesse de Provence, fille de Raimond Bérenger V, en 1246, scelle le nouveau destin de la Provence, désormais liée à la maison d'Anjou. Aix, élevée au rang de capitale administrative, voit son influence grandir. Le XIVe siècle marque une nouvelle période de déclin avec la peste noire, la guerre de Cent Ans et les guerres de succession de la reine Jeanne.

Le roi René et le siècle d'or

En 1409, le nouveau comte de Provence, Louis II, fonde l'université d'Aix, puis vient le règne bénéfique du roi René, protecteur des lettres et des arts. Le dernier comte de Provence ne se contente pas de son rôle de mécène et fait œuvre utile dans sa bonne ville d'Aix. Il encourage ainsi le commerce et développe l'agriculture. Le roi René se soucie également de la santé des Aixois en instituant un corps de médecins publics. Seule ombre au tableau : la fiscalité que beaucoup de ses sujets jugent excessive. Après la réunion de la Provence au royaume de France en 1486, Aix devient le siège du Parlement, qui entend bien défendre les privilèges provençaux face à la politique centralisatrice du pouvoir royal. Plusieurs révoltes, luttes intestines, querelles religieuses (Aix rallie la Ligue), sans parler des ravages causés par les armées de Charles Quint, assombrissent le XVIe siècle.

Cependant, au siècle suivant, la cité des gouverneurs, des parlementaires et des magistrats, retrouve sa prospérité et accueille même Louis XIII, puis Louis XIV en ses murs. Aix s'agrandit avec la création de nouveaux quartiers : Villeneuve, Villeverte, Mazarin. De nombreux hôtels particuliers voient le jour tandis que la ville se couvre de fontaines. C'est à cette époque qu'on aménage, entre la vieille ville et le nouveau quartier Mazarin, le

Aix-en-Provence

La tour de l'Horloge, beffroi du XVIe siècle, domine le bel édifice classique de l'hôtel de ville qui abrite la bibliothèque Méjanes, l'une des plus riches de France. Fondée au XVIIIe siècle par le marquis de Méjanes, consul d'Aix, elle renferme 300 000 volumes.
"Il s'agit d'une ville dans un paysage
Dans le nom même de la ville, le paysage est inscrit
L'A y représente la montagne Sainte-Victoire
L'I des eaux éternellement jaillissantes
L'X enfin, un séculaire croisement des routes comme aussi la croix mise en ce lieu sur certaines entreprises barbares."
(Francis Ponge, Prose à l'éloge d'Aix, 1958).

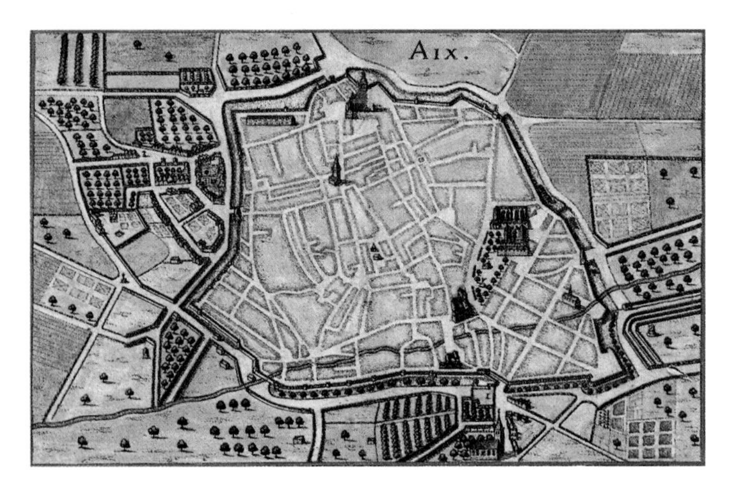

"cours à carrosses", le futur cours Mirabeau, lieu de promenade idéal tracé sur l'emplacement des anciens remparts. Des peintres, des sculpteurs, des architectes embellissent la ville qui compte alors près de trente mille habitants. Le triomphe du comte Gabriel Riqueti de Mirabeau, élu du Tiers-Etat, et la Révolution qui s'annonce, semblent sonner le glas du rayonnement d'Aix-en-Provence, qui perd bientôt ses privilèges et son rôle de capitale régionale. A défaut de rôle politique, Aix brille désormais par son intelligence. Au moins ne perd-elle pas son université, comme Avignon !

Le vieil Aix

Aix-en-Provence ne se dévoile pas aisément et il faut prendre le temps de la découvrir. Au nord du cours Mirabeau, entre la cathédrale et la place d'Albertas, s'étend la partie la plus ancienne de la ville. Il faut flâner dans les rues des Guerriers, Ménudières, Gaston-de-Saporta, Pierre-et-Marie-Curie ou encore dans le quartier des Prêcheurs. La cathédrale Saint-Sauveur a fait l'objet, du Ve au XVIIIe siècle, de nombreux remaniements qui lui donnent cet aspect composite.

Dans la nef centrale gothique, on peut admirer deux triptyques du XVe siècle, dont le célèbre triptyque du *Buisson Ardent* de Nicolas Froment, peintre de la cour du roi René. Le cloître roman qui jouxte la cathédrale mérite l'attention. Ses chapiteaux, bien délabrés, sont ornés de belles sculptures. L'ancien archevêché, construit à partir du XVIIe siècle, accueille de nombreuses manifestations du Festival d'Aix. Dans les rues avoisinantes, plusieurs hôtels attirent les regards : l'hôtel Maynier d'Oppède, l'hôtel Boyer de Fonscolombe, l'hôtel d'Estienne de Saint-Jean, siège du musée du Vieil-Aix, l'hôtel de Châteaurenard, l'hôtel Thomassin de Peynier, etc. Sur la place de l'Hôtel-de-Ville, où se tient le marché aux fleurs, la tour de l'Horloge, ancien beffroi du XVIe siècle, renferme la "cloche du ban" et une horloge astronomique avec des statues de bois marquant chaque saison, qui apparaissent à tour de rôle. L'ancienne halle aux grains est du XVIIIe siècle, l'hôtel de ville où est installée la bibliothèque Méjanes, du XVIIe.

De là, on peut rejoindre l'hôtel d'Arbaud et l'hôtel d'Albertas, magnifiques exemples de l'architecture aixoise du XVIIIe siècle. La rue Méjanes, piétonne, mène à la place des Chapeliers. Non loin de là, le bel hôtel Boyer d'Eguilles, rue Espariat, abrite le muséum d'Histoire naturelle. Dans le quartier des Prêcheurs, la rue Emeric-David compte plusieurs hôtels dignes d'intérêt : l'hôtel de Carcès, l'hôtel de Panisse-Passis au très beau portail. La place des Prêcheurs, la plus ancienne d'Aix, accueille le grand marché de la ville, on peut y admirer l'hôtel d'Agut. Très proche, Sainte-Marie-Madeleine est

l'ancienne chapelle du couvent des dominicains – les Prêcheurs – installés là au XIIIe siècle. L'église a été reconstruite au XVIIe siècle, mais sa façade date de 1860.

Aménagé au XVIIe siècle par Michel Mazarin, archevêque d'Aix et frère du cardinal, le quartier Mazarin est au sud de la ville ancienne. Là encore, de beaux hôtels méritent d'être signalés, comme l'hôtel Villeneuve d'Ansouis, maison natale de Folco de Baroncelli, l'un des grands défenseurs des traditions camarguaises ou l'hôtel de Caumont. Cependant, le quartier doit en partie sa renommée aux musées que l'on peut y visiter. Le musée d'Arbaud présente un ensemble de faïences provençales et une importante bibliothèque. Quant au musée Granet, fondé en 1765 et installé dans l'ancien prieuré des Chevaliers de Malte, c'est sans doute l'un des plus riches de Provence. Ses salles d'archéologie renferment notamment de nombreuses pièces provenant des fouilles d'Entremont et d'Aquae Sextiae. Ses collections de peintures vont des Primitifs avignonnais, italiens et flamands à l'art contemporain, englobant les principaux courants des écoles européennes. Une salle est consacrée à Paul Cézanne.

Le cours Mirabeau

Bien plus qu'un simple axe central, le cours Mirabeau apparaît comme le symbole de la vie aixoise, où se concentre une grande part de l'animation de la ville. Lieu de promenade et de rencontre à l'ombre des platanes, ce cours ne serait pas aixois sans ses fontaines, on en dénombre plusieurs : la fontaine des Neuf-Canons, XVIIe ; la fontaine d'eau thermale, XVIIIe, d'où l'eau

Le cours Mirabeau
L'ancienne capitale de la Provence, ville aristocratique et universitaire, possède un charme discret mais bien réel que le célèbre cours Mirabeau symbolise avec ses magnifiques hôtels, ses platanes et ses fontaines.

jaillit à 34° ; et la fontaine du Roi René qui marque l'extrémité du cours. On retrouve tout au long du cours la splendeur de l'ancienne capitale provençale avec ses demeures aristocratiques aux noms prestigieux : l'hôtel de Villars, l'hôtel Margalet de Luynes, l'hôtel Isoard de Vauvenargues, l'hôtel de Raousset-Boulbon, l'hôtel de Mirabeau, l'hôtel de Saint-Marc, l'hôtel Maurel de Pontevès et son balcon baroque supporté par des atlantes…

On ne peut pas quitter Aix-en-Provence sans visiter le pavillon Vendôme, bâti "hors les murs", sur un terrain offert par la Provence au duc de Vendôme, petit-fils de Henri IV. L'édifice a été construit en 1665 par Pierre Pavillon et modifié en 1682 par Laurent Vallon. Les fameux atlantes qui soutiennent le balcon sont dus à Jean-Claude Rambot qui, en la circonstance, se révèle digne de Puget. Par la suite, le pavillon deviendra la propriété du peintre Jean-Baptiste Van Loo. Au nord de la cathédrale, l'atelier Paul Cézanne perpétue le souvenir du maître impressionniste. Aménagés selon les directives du peintre en 1900, après la vente de la propriété familiale du Jas de Bouffan, l'atelier des Lauves et le petit jardin qui l'entoure préservent le cadre où Paul Cézanne réalisa ses dernières toiles.

La montagne Sainte-Victoire

Avec Paul Cézanne, quittons Aix pour la montagne Sainte-Victoire qui l'a si bien inspiré : "*Regardez cette Sainte-Victoire. Quel élan, quelle soif impérieuse de soleil, et quelle mélancolie, le soir, quand toute cette pesanteur retombe !*" Sans doute l'a-t-il beaucoup aimée cette montagne, puisque l'on connaît au moins soixante toiles sur ce thème réalisées par le maître !

La région, souvent délaissée, mérite d'être découverte. La route Paul Cézanne emprunte un itinéraire de choix : le Tholonet, Saint-Antonin-sur-Bayon, Puyloubier, Pourrières, etc. Là encore, des villages cachés, des châteaux ruinés, des ponts vénérables ou de belles bastides, résidences typiquement provençales, le plus souvent de plan carré et comportant un toit plat.

Dans la basse vallée de la Durance, d'autres chemins sont possibles, qui permettent de découvrir de nouvelles merveilles : la Mignarde, le château de la Gaude, Meyrargues, Peyrolles-en-Provence, Jouques. Parfois, certains lieux sont mieux connus comme le château de Vauvenargues, grande bastide du XVIIe siècle dominant la vallée de l'Infernet. Le grand moraliste du XVIIIe siècle l'habita sans doute, mais un temps relativement court, puisqu'il vécut à Paris et mourut à trente-deux ans. Le château est devenu la propriété du peintre Picasso en 1958. Il repose dans le parc.

La montagne Sainte-Victoire

Chère à Paul Cézanne, la Sainte-Victoire, que Jean Giono voyait "avec sa fantastique voilure de rochers blancs, comme un vaisseau fantôme en plein jour", s'étend à l'est d'Aix-en-Provence. Ce massif calcaire culmine à 1 011 mètres au pic des Mouches. A 900 mètres, on découvre le prieuré de Sainte-Victoire, avec une émouvante petite chapelle. De la Croix de Provence, l'on a une vue très étendue sur le bassin de l'Arc, le massif de la Sainte-Beaume et la chaîne de l'Etoile.

La vallée de l'Arc

A l'ouest d'Aix-en-Provence, la route de la vallée permet de découvrir le château de Pioline ; l'aqueduc de Roquefavour, construit au XIXe siècle ; le petit village de Ventabren, d'où l'on peut apercevoir l'étang de Berre

et Martigues ; Eguilles… La petite ville de Lambesc n'est pas très loin. Elle possède une magnifique église du XVIIIe siècle de taille imposante et plusieurs hôtels particuliers. Au XVe siècle, Lambesc fut érigée en principauté par le roi René.

En poussant plus à l'ouest, on découvre le superbe château féodal de La Barben, transformé en résidence au XVIe et au XVIIe siècle. Les jardins ont été dessinés par Le Nôtre. De là, on peut gagner Salon-de-Provence, la patrie de l'ingénieur Adam de Craponne, où vécut aussi le fameux Nostradamus.

Grand marché agricole réputé notamment pour la qualité de son huile d'olive, Salon est le siège de l'Ecole de l'Air depuis 1936. En 1909, un violent tremblement de terre a ébranlé la région, provoquant d'importants dégâts à Salon, Lambesc, Vernègues.

La ville comprend un vieux quartier pittoresque dominé par la masse imposante du château de l'Empéri, fière forteresse XIIe-XIIIe siècles, qui fut la résidence des archevêques d'Arles. Un musée d'histoire militaire y est installé. Les églises Saint-Michel et Saint-Laurent méritent aussi d'être visitées.

Marseille et les calanques

Le complexe portuaire de Fos, le site industriel de Port-de-Bouc et le port pétrolier de Lavéra sont situés à proximité du canal de Caronte qui relie l'étang de Berre à la Méditerranée.

Martigues et l'étang de Berre

En dépit des gigantesques paysages industriels qui l'enserrent, cette mer intérieure de 155 km^2 constitue un milieu naturel original et séduisant. Le tour de l'étang s'impose pour la variété de ses sites archéologiques et artistiques. Devenue une agglomération importante, Martigues n'est plus la petite ville de pêcheurs chère à Charles Maurras, l'enfant du pays. Dans un texte fameux de 1888 devenu un morceau d'anthologie, il énumère "les trente beautés" de sa ville natale. Martigues conserve néanmoins son pittoresque port, divisé en trois quartiers par des canaux qui l'ont fait surnommer la "Venise provençale". Du pont Saint-Sébastien, situé sur l'île Brescon, l'on a une jolie vue sur le "Miroir aux oiseaux", les barques et les maisons peintes. "*Le port lui-même, aux eaux tremblantes, chargées d'embarcations de pêche, ses quais brillants, bordés de maisons peintes d'ocre foncée ou de rose pâle, enfin l'azur profond, l'argent vif de l'étang de Berre, la noble inclination des collines qui l'environnent, les bois de pins qu'elles portent jusqu'à mi-côte...*" (C. Maurras, *les Vergers sur la mer*, 1937).

A côté du pont, l'église de la Madeleine, XVIIe, offre aux regards une surprenante façade baroque. Dans le quartier de Ferrières, au nord, le musée Ziem présente un ensemble de tableaux du peintre orientaliste Félix Ziem et des collections d'art contemporain. De Martigues, plusieurs excursions sont à faire sur la rive occidentale de l'étang : Notre-Dame-des-Marins, petite chapelle vouée à la protection des pêcheurs ; le village de Saint-Mitre-les-Remparts, qui a gardé ses remparts ; le site archéologique de Saint-Blaise ; Istres, dont la vieille ville mérite une visite ; l'oppidum de Castellan ; l'église et le village de Miramas-le-Vieux, sur un éperon rocheux ; le port de pêche de Saint-Chamas, qui abrite une remarquable église de style baroque. A un kilomètre, on découvre le pont Flavien, construit sur le Touloubre au Ier siècle apr. J.-C. Il est orné, à ses extrémités, d'arcs de triomphe, décorés de lionceaux ailés. A l'est, Vitrolles et Marignane conservent leurs vieux quartiers.

Le Vieux Port

Noyau primitif de la cité, le Vieux Port de Marseille, détruit en 1944, a été aménagé en port de plaisance. "Mais il y a plus beau, ou peut-être plus fort. C'est la révélation et la découverte de Marseille, pour qui vient de la Mer, lorsque, sous les arceaux d'une lumière inaltérable, au rire du vent et des eaux, sous le roc de la Bonne Mère, apparaissent tour après tour, clocher après clocher, la file des églises, des monuments et des magasins qui n'ont pas de nom, puis, dessinés en clair, la Mairie de Puget, le Fort de Louis XIV, la crénelure médiévale de Saint-Victor. Eperon des écueils, douce rondeur des môles, terre à terre des quais sans fin, toute cette pierraille au soleil de feu vibre et chante..." (C. Maurras, Marseille en Provence, 1944).

La chaîne de l'Estaque

Petit massif calcaire à l'ouest de Marseille, la chaîne de l'Estaque sépare l'étang de Berre de la Méditerranée. Ses routes desservent les calanques de Carro, de Sausset-les-Pins, de Madrague-de-Gignac et de Niolon. Carry-le-Rouet, principale station balnéaire de la Côte Bleue, est aussi un port de pêche actif. Une rue Don-Camillo perpétue le souvenir de Fernandel qui repose dans le cimetière de la ville. En 1983, un parc régional marin de la Côte Bleue a été créé à l'initiative

des communes du littoral et du Conseil régional afin de protéger le milieu marin de cette région, longtemps préservée du fait de son accès relativement difficile, mais désormais menacée par les pollutions de toutes sortes.

Au-delà de la plaine du Rove, la route conduit au long tunnel de sept kilomètres qui débouche sur la rade de Marseille. La petite commune de l'Estaque, dans la banlieue de la cité phocéenne, a naguère été fréquentée par de nombreux peintres – comme Derain, Dufy ou Braque – qui appréciaient la beauté de ses paysages.

"Actibus immensis urbs fulget Massiliensis"

La devise de la première ville de la région de Provence parle d'elle-même : "*De tous temps, par ses grandes actions, resplendit Marseille*". Située au fond d'une baie adossée au massif de la Marseilleveyre, entre les chaînes de l'Estaque et de l'Etoile, Marseille n'évoque plus le littoral sauvage où accostèrent des navigateurs grecs venus d'Asie Mineure vers 600 av. J.-C., mais conserve de très

nombreux trésors. Le grand port méditerranéen, porte de l'Orient, vit par la mer et pour la mer. Jamais il ne se déparera de ce titre de gloire qui reste aussi sa raison de vivre. Peu après sa fondation, Massalia voit son rayonnement grandir et fonde des "colonies" le long de la côte et dans tout l'arrière-pays : Agde, Hyères, Antibes, Nice, mais aussi Arles, Glanum, Avignon…

L'engagement des Massaliotes aux côtés des Romains, notamment pendant la seconde guerre punique, favorise la cité, mais, lors de la lutte tenace opposant César à Pompée, le soutien de Massalia à Pompée, finalement vaincu, s'avère désastreux. Les légions de César s'emparent de la ville en 49 av. J.-C., Marseille perd ses comptoirs et voit sa flotte lui échapper. Commence alors une longue période de déclin, accentuée par l'essor d'Arles mais aussi par les invasions qui déferlent sur la région à partir du Ve siècle.

L'essor du commerce

Si Marseille surmonte sa déchéance, c'est à la mer qu'elle le doit. Depuis le premier port – grec – établi dans la crique du Lacydon jusqu'aux grands travaux du XIXe siècle, en passant par le développement de la marine royale et de l'Arsenal, jamais la cité phocéenne n'oubliera sa vocation première. Ses navires aux voiles frappées de la croix bleue sur fond blanc sillonnent les mers et gagnent la Terre Sainte. Grâce aux croisades, Marseille rivalise avec Gênes, prêchant la bonne parole aux infidèles. Ses marins et ses commerçants entretiennent des consuls en Barbarie et au Levant, et fondent une Compagnie d'Afrique plus d'un siècle avant celle des Indes.

Profitant du mouvement communal, la cité se constitue en "république" pour sauvegarder ses libertés municipales. Marseille, ville rebelle, reste attachée à ses privilèges et s'oppose aux troupes de Charles Quint au XVIe siècle. De même, au siècle suivant, elle se bat afin de préserver son autonomie, anime la Fronde de Provence et défie Mazarin, pour ne retrouver la prospérité que sous Colbert, qui en fait un port franc. Ravagée par la peste en 1720, Marseille est mise en quarantaine par le Parlement d'Aix, mais le terrible fléau ne s'en répand pas moins et Toulon, Aix, Arles sont touchées.

Dans un premier temps, la ville accueille avec faveur les idées révolutionnaires. On connaît l'épopée de ces quelques centaines de volontaires marseillais, venus à Paris en 1792 pour s'enrôler et qui rendent célèbre ce

"chant de guerre de l'armée du Rhin", la future "Marseillaise". Pourtant, la situation évolue vite. Là comme ailleurs, les girondins, bien implantés dans les anciennes provinces, rompent des lances avec les montagnards, adeptes d'un centralisme autoritaire, et les tendances fédéralistes des Marseillais heurtent les Conventionnels. La Terreur se répand et Marseille devient "la ville sans nom". Ruinée par le Blocus continental et les guerres de l'Empire, Marseille ne porte pas Napoléon dans son cœur et celui-ci le lui rend bien. Royaliste, elle devient même un temps l'un des bastions de la contre-révolution. Avec la conquête de l'Algérie et le percement du canal de Suez, Marseille trouve de nouveaux débouchés et reprend, à l'orée du XXe siècle, la maîtrise de son destin, passant en soixante ans de cent mille à huit cent mille habitants.

Le Vieux Port, ou plus exactement ce qu'il en reste après les destructions de la dernière guerre, constitue le noyau primitif de la cité ; c'est désormais un port

de plaisance, d'où partent les vedettes pour le château d'If ou la visite du port moderne qui s'étend, au nord, sur plus de dix kilomètres, de la gare maritime de la Joliette jusqu'au bassin Mirabeau. L'entrée du Vieux Port est gardée par les forts Saint-Jean au nord et Saint-Nicolas au sud ; de ce dernier point l'on peut visiter le parc et le château du Pharo. Au-delà, par la Corniche, on gagne le pittoresque site du vallon des Auffes, petit port de pêche très animé.

Au sud du Vieux Port, le quai de Rive Neuve, bordé de restaurants qui fleurent bon la marée et le safran, et qui servent la bouillabaisse, mène à la rue Sainte, puis à la basilique Saint-Victor, ancienne abbatiale fortifiée conservant des voûtes d'ogives parmi les plus anciennes de Provence. Bâtie sur des cryptes et des catacombes du Ve siècle, Saint-Victor accueille chaque année, au début du mois de février, la procession de la Chandeleur.

En bordure du bassin, sur le quai du Port, l'hôtel de ville, XVIIe, a échappé aux destructions. Par la rue Caisserie, on découvre bientôt le vieux Marseille, cette ville basse indomptable aux ruelles étroites et aux maisons serrées les unes contre les autres : la rue Beauregard, la montée des Accoules, les rues Baussenque, du Panier, des Bonnes-Ecuelles, des Repenties, des Pistoles, etc. Nous sommes là au cœur de Marseille, chevauchant les siècles à chaque coin de rue et retraçant ainsi, un peu au hasard, l'histoire de la cité. La Maison Diamantée, XVIe, abrite le musée du Vieux-Marseille ; à côté, le musée des Docks romains présente une partie des entrepôts et des bassins de l'époque romaine, découverts sur ce lieu même en 1947, et datant du Ier siècle apr. J.-C. Dominant les vestiges d'un temple grec, l'église Saint-Laurent, paroisse des pêcheurs de Marseille, révèle la magnificence du roman provençal ; en remontant, la cathédrale de la Major s'impose, colossal édifice romano-byzantin du XIXe, flanqué de l'ancienne Major, édifiée au XIIe siècle. Derrière la grande Bourse, des fouilles, échelonnées sur plus de quinze ans, ont permis de reconstituer une partie

Le vallon des Auffes

La corniche, qui longe la côte, mène à ce pittoresque petit port, mais si l'on apprécie encore davantage la couleur locale, il faut regagner le Vieux Port. Quai des Belges, tous les matins, se tient le marché aux poissons, où pêcheurs et poissonnières, devant leurs étals, vous font l'article "avé l'asseng" en proposant, dans un tumulte sympathique, leur pêche de la nuit : rascasses, grondins, rougets, saint-pierres, loups, poulpes, girelles, sans oublier les fameuses sardines !

des fortifications remontant à la période hellénistique, des pans de murs, des quais du port romain. La plupart des pièces sont présentées au musée d'Histoire de Marseille, au fond du Jardin des Vestiges, lieu de promenade particulièrement plaisant et très bien aménagé. En haut de la colline qui surplombe le Vieux Port, au sud-est, s'élève sur un piton rocheux à 162 mètres d'altitude Notre-Dame de-la-Garde, qui reste l'un des symboles de Marseille. Construite au XIXe siècle dans le style romano-byzantin, la célèbre basilique offre un panorama spectaculaire sur la ville, le château d'If et les îles qui l'entourent.

Débouchant sur le quai des Belges, au bout du Vieux Port, la fameuse Canebière, popularisée par les opérettes de Vincent Scotto et les chansons d'Alibert, traduit bien l'effervescence de la cité. Même si elle a perdu de son lustre, la Canebière, que l'on imagine toujours à travers les images des films de Pagnol ou de Duvivier, reste l'artère principale de Marseille, fréquentée par tous les marins du monde. Au nord, place Jules-Guesde, la porte d'Aix, arc de triomphe XIXe, a été décorée par David d'Angers.

Installé au rez-de-chaussée de la Bourse, le musée de la Marine retrace l'histoire du port. Au sud-est, rue Grignan, le musée Cantini, dans un bel hôtel XVIIe, présente des collections d'art contemporain et un remarquable ensemble de faïences de Marseille et de Provence. Au nord-est, le vaste palais Longchamp, typiquement second Empire, abrite le muséum d'histoire naturelle et un important musée des Beaux-Arts. En face, le musée Grobet-Labadié renferme d'admirables collections d'objets d'art et de meubles anciens. Au sud, par la splendide Corniche longeant le rivage découpé qui contourne la colline de Notre-Dame-de-la-Garde, on atteint le parc Borély, où le château Borély, XVIIIe, abrite un riche musée : archéologie méditerranéenne, collection d'antiquités égyptiennes, etc. Par l'avenue du Prado et le boulevard Michelet, on rejoint la Cité Radieuse de Le Corbusier.

Cassis

Le port de Cassis, entre Marseille et La Ciotat, est un joli port de pêche situé au fond d'une baie dominée par les falaises du cap Canaille. C'est aussi une station balnéaire réputée pour ses vins de qualité. L'été, des joutes nautiques sont organisées pour la fête de saint Pierre, patron des pêcheurs.

Le massif de la Sainte-Baume

Au fond de la ville, partout, des montagnes : la chaîne de l'Etoile, les monts de Saint-Cyr-Carpiagne, le massif de la Sainte-Baume. Comme dans toute la région, l'histoire reste très présente : à Château-Gombert, le musée des Arts et Traditions populaires du Terroir marseillais attire nombre de passionnés d'histoire locale ; à Saint-Marcel, c'est un oppidum celte ; à La Penne, une pyramide romaine ; à Saint-Jean-de-Garguier, un prieuré chrétien, avec la chapelle aux ex-voto, dont certains remontent au XVIe siècle.

La source thermale du village de Camoins, protégé par des platanes, rappelle la fin de l'aventure du "griveleur" de *Cigalon*, tandis qu'à Aubagne, on retrouve l'univers des santons et le souvenir de Marcel Pagnol, qui est né là. Après Gémenos, le massif de la Sainte-Baume, avec sa forêt sacrée et sa grotte (*baoumo* en provençal), s'étend jusqu'à Brignoles.

Les calanques

Sur la côte, à l'est de Marseille et jusqu'à la ville de La Ciotat, s'étirent les massifs calcaires de Marseilleveyre et du Puget.

Cassis, station balnéaire réputée et pittoresque port de pêche, est située de façon idéale au fond d'une jolie baie dominée par les grandioses falaises du cap Canaille au sud-est, les plus hautes de France. La vieille ville a beaucoup de charme. L'été, pour la fête de la saint Pierre, se tiennent des joutes nautiques très appréciées. Au-delà de Cassis, c'est la Corniche des Crêtes, sur la portion du littoral qui va jusqu'à La Ciotat. Nombreux sont les belvédères qui laissent découvrir une succession d'admirables points de vue ou de vertigineux à-pics, tels ceux du cap Canaille ou du Sémaphore.

Ville industrielle et résidentielle, La Ciotat a toujours cultivé sa vocation maritime. Elle conserve des chantiers navals malgré la crise qui frappe la construction navale française depuis une vingtaine d'années. La Ciotat préserve aussi le souvenir des frères Lumière qui filmèrent dans cette petite ville des Bouches-du-Rhône l'*Entrée du train en gare de La Ciotat*, en 1895.

Pages suivantes

L'abbaye du Thoronet

Adossé au flanc nord de l'église, le cloître à différents niveaux bénéficie d'un calme impressionnant, seulement troublé par la fontaine du lavabo hexagonal, au milieu de la galerie nord.

Toulon et les îles d'Hyères

Dans les terres, à égale distance de Marseille et de Toulon, se dresse le massif de la Sainte-Baume, recouvert, sur le Plan-d'Aups, d'une magnifique forêt protégée, comportant les essences les plus variées, parfois insolites en ces lieux : hêtres géants, tilleuls, érables, ormes, chênes blancs, frênes, ifs, pins, sycomores, etc.

Le pays brignolais

Au nord-est, Brignoles, centre viticole, reste aussi célèbre pour le rouge de ses terres d'où l'on extrait la bauxite. Dominant la ville nouvelle, le pittoresque vieux bourg escalade la colline de ses ruelles tortueuses. Au sommet s'élèvent l'ancien palais des comtes de Provence et l'église Saint-Sauveur au beau portail roman du XIIe siècle. Le musée du Pays brignolais renferme, parmi d'intéressantes collections, le sarcophage de la Gayole, IIIe siècle, l'une des plus vieilles pierres chrétiennes de la Gaule. Non loin des sources de l'Argens, au nord-ouest de Brignoles, Saint-Maximin-la-Sainte-Baume remonte au XIe siècle et fut un important centre de pèlerinage.

Sa basilique gothique d'une taille imposante abriterait en effet le tombeau de Marie-Madeleine qui, après son débarquement légendaire aux Saintes-Maries, vint se réfugier dans la grotte sacrée de la Sainte-Baume. Plusieurs rois de France et non des moindres (François Ier, Louis XIII, Louis XIV) visitèrent la cité de la sainte.

La vallée de l'Argens, au nord de Brignoles, dévoile bien des richesses : les gorges du Vallon Sourn ; le village de Correns ; Montfort-sur-l'Argens, qui a conservé ses remparts et le château des Templiers ; le vieux bourg de Carcès et le lac de barrage de Carcès, qui alimente en eau potable Toulon et la côte.

Les calanques

A l'est de Marseille et jusqu'à La Ciotat, s'étirent les calanques. Ce sont des échancrures étroites et profondes, où la mer s'insinue entre de hautes falaises. Le littoral, souvent abrupt, apparaît comme très différent de celui de la Côte d'Azur. On peut explorer les calanques en bateau et, en particulier, celles d'En-Vau, de Port-Pin et de Port-Miou.

L'abbaye du Thoronet

Un peu plus à l'est, à quelques kilomètres, se cache l'abbaye du Thoronet dans un site retiré de collines boisées et de pinèdes.

Bâtie au XIIe siècle par des moines venus du Haut-Vivarais, l'abbaye cistercienne bénéficie de la protection de Raimond Bérenger, comte de Barcelone, qui accueille les religieux sur ses terres. Chef-d'œuvre d'architecture romane, cette abbaye est aussi un modèle de simplicité, presque entièrement dépouillé de tout ornement décoratif. L'église ne possède pas de portail central, mais deux entrées latérales. Couverte d'un berceau brisé, la nef comporte trois travées. Le transept est large tandis que le chœur se termine par une abside flanquée de part et d'autre de deux chapelles. La salle capitulaire à voûtes gothiques est superbe. D'importantes dépendances – réfectoire, dortoir, grange dimière, cellier – complètent ce bel ensemble. En regagnant Brignoles et en descendant vers la côte, on passe par Cabasse, dont l'église

Saint-Pons, XVIe, abrite un superbe retable de bois doré. Après l'abbaye de la Celle et l'excursion de la montagne de la Loube, on atteint La Roquebrussanne sur la route de Toulon. Puis, en bifurquant vers l'ouest, on rejoint la petite ville de Signes, au pied de la Sainte-Baume et au milieu des vignobles. Avant de gagner le littoral, on peut visiter Le Bausset (chapelle de Notre-Dame du Bausset-Vieux), Le Castellet, La Cadière-d'Azur. Les stations balnéaires des Lecques, de Bandol, de Sanary-sur-Mer conduisent à la Seyne-sur-Mer et à Toulon.

Toulon et son histoire

Le grand port militaire occupe l'une des plus belles rades qui soient, – malgré le béton triomphant –, entourée de ses fameuses montagnes calcaires et gardée par les vieux forts Balaguier, de la Grosse Tour et Saint-Louis.

La corniche du Mont-Faron, qui surplombe la ville, offre un très beau panorama sur le vieux quartier, le port et la rade. Parsemé de bois de pins, le mont Faron est un lieu d'excursion idéal.

Construite sur le site de la ville romaine de Telo Martius, Toulon doit sa première renommée au fait qu'elle abrite l'une des grandes teintureries impériales de la Gaule. La célèbre pourpre, notamment destinée aux soieries des empereurs et des riches romains, s'obtenait à partir du murex, petit coquillage très abondant sur la côte. Siège d'un évêché à partir du Ve siècle, Toulon, en butte aux razzias des Barbaresques, entreprend peu à peu de se fortifier. Elle n'échappe cependant pas aux menées des troupes impériales de Charles Quint qui, en 1524 et 1536, occupent la ville. Henri IV puis Richelieu l'entourent de solides fortifications et ce dernier décide de faire de Toulon le grand port militaire de la région.

C'est cependant Louis XIV qui donne l'impulsion décisive : Colbert agrandit l'arsenal et Vauban fait entreprendre d'importants travaux, créant la Darse Neuve, qui peut abriter une centaine de vaisseaux. Il repousse l'enceinte de la ville vers l'ouest et renforce considérablement ses défenses. En 1707, durant la guerre de Succession d'Espagne, Toulon résiste aux flottes alliées d'Angleterre et des Pays-Bas. Port militaire, Toulon est aussi la ville des galères, amarrées dans la Vieille Darse. Les galériens, au nombre de plusieurs milliers, viennent des prisons de la région. Après la suppression des galères en 1748, Toulon devient la ville du bagne, où les forçats, habillés de casaques rouges et de bonnets verts (quant ils sont condamnés à la réclusion à vie), travaillent à l'arsenal ou à l'entretien du port. En 1720, une épidémie de peste, venue de Marseille, ravage la ville, faisant plusieurs milliers de morts. Comme dans le reste de la Provence, la Révolution entraîne des mouvements d'opinion contraires et, en 1793, la ville s'allie aux Anglais pour contrer les Jacobins. Les armées de la Convention assiègent alors Toulon et prennent la cité. C'est en cette occasion que le jeune capitaine Bonaparte, commandant une batterie d'artillerie, fait ses premières armes. La ville, rebaptisée Port-de-la-Montagne, subit de sanglantes représailles et échappe de peu à la destruction.

En 1830, c'est de Toulon qu'appareille la flotte qui va s'emparer d'Alger. La conquête qui s'ensuit ouvre une période faste pour le port qui devient le point de passage obligé des convois militaires et de marchandises. En 1942, lors de l'occupation de la zone libre, la flotte française se saborde pour ne pas tomber aux mains des forces armées allemandes et, en août 1944, les troupes alliées débarquent en Provence, sur les plages des Maures. Toulon est libérée le 26 août.

Aujourd'hui, le port militaire est loin de développer l'intense activité qu'il a connue au XIXe siècle ; en outre, la régression des activités traditionnelles de Toulon – construction et réparation navales – ajoute au marasme. La ville reste cependant la troisième de la région pour sa population, après Marseille et Nice, preuve indéniable de son dynamisme. Sur la Vieille Darse, les immeubles modernes du quai Stalingrad, réservé aux piétons, séparent le port de la vieille ville. Au milieu du quai, on peut admirer les fameux atlantes, dus à Pierre Puget, qui soutenaient le balcon de l'ancien hôtel de ville, démoli lors des bombardements de l'été 1944.

Le musée naval, orné d'une porte monumentale du XVIIIe siècle qui marquait l'entrée de l'arsenal, retrace l'histoire de Toulon en présentant de nombreuses pièces dignes d'intérêt : maquettes à grande échelle des frégates la Sultane et du vaisseau Duquesne, figures de proue, peintures, estampes, etc. A l'extrémité est du quai Stalingrad, l'église Saint-François-de-Paule présente une belle façade en courbe, caractéristique des églises provençales du XVIIIe siècle, telles qu'on peut en voir à Nice.

Par le cours Lafayette, au merveilleux marché sous les platanes, on parvient au musée du Vieux-Toulon et à la splendide église Sainte-Marie-Majeure, construite au XIe siècle, restaurée au XIIe et agrandie au XVIIe. Un étonnant mélange de styles ressort de ces ajouts et remaniements, mais l'ensemble reste harmonieux. La façade classique est particulièrement belle. L'église abrite plusieurs œuvres de Pierre Puget. Au nord-ouest, place Pierre-Puget, on peut contempler la pittoresque fontaine des Trois-Dauphins. La rue d'Alger, au cœur de la vieille ville, redescend vers la Vieille Darse. Bordée par l'Arsenal, la place d'Armes présente un bel ensemble architectural, agrémenté d'un jardin. Toute proche, l'église Saint-Louis, construite à la fin du XVIIIe siècle, apparaît comme un remarquable exemple du style néo-classique. Au nord-ouest, sur l'avenue du Général-Leclerc, un grand édifice construit à la fin du XIXe siècle dans le style Renaissance, abrite deux musées. Le musée des Beaux-Arts de Toulon conserve une importante collection de peinture ancienne et un riche fonds de peinture contemporaine. Quant au muséum d'histoire naturelle, il présente d'intéressantes sections de zoologie et de géologie. A côté, le jardin Alexandre Ier est l'un des poumons de la ville. La presqu'île de Saint-Mandrier ferme la rade et offre de splendides points de vue. Du cimetière du port de pêche de Saint-Mandrier-sur-Mer, le panorama s'étend jusqu'aux îles d'Hyères.

Sanary-sur-Mer

Station balnéaire sur la côte toulonnaise au pied des collines du Gros Cerveau, Sanary est aussi un pittoresque port de pêche, auquel les palmiers et les maisons aux façades colorées donnent un charme certain. A l'ouest de la ville, les roches rouges abritent la chapelle de Notre-Dame-de-Pitié, édifiée au XVIe siècle.

ANNO 1690

Les îles d'Hyères

Par la corniche varoise, on gagne la station climatique d'Hyères, légèrement en retrait de la côte, entre le cap Bénat et la presqu'île de Giens. Important marché agricole et centre touristique, Hyères a aussi une histoire. Au sud de la ville actuelle, les Grecs de Marseille fondent le comptoir d'Olbia. Au Moyen Age, les seigneurs de Fos délaissent ce site originel pour les pentes de la colline, où ils construisent leur château. Hyères voit son importance s'accroître et accueille même dans son port, en 1254, saint Louis, de retour de croisade. Après le démantèlement de son château, sous Louis XIII, la cité perd de son influence au profit de Toulon. La vieille ville, bâtie sur les pentes de la colline du Castéou couronnée par les ruines du château, offre de belles occasions de promenades. On peut y voir, place Massillon, les restes d'une commanderie de Templiers : la tour Saint-Blaise, XIIe. L'église Saint-Paul, dont les parties les plus anciennes remontent au XIIe siècle, renferment de nombreux ex-voto anciens. Dans ses ruelles escarpées, on peut aussi admirer vieilles portes, tours et maisons anciennes, telle la maison romane de la rue de Paradis. A l'est, l'église Saint-Louis est du XIIIe siècle. Dans la ville moderne, les beaux jardins exotiques Olbius-Riquier méritent une visite. Au sud-est, par Hyères-Plage, on gagne la presqu'île de Giens, reliée à la côte par l'isthme boisé de la Capte et l'étroite langue de sable, la route du Sel, encadrant des salins et l'étang des Pesquiers.

De l'extrémité de la presqu'île, du point dit de la Tour Fondue, on peut s'embarquer pour les îles d'Hyères, mais le passage est partout possible sur la côte, de Toulon à Cavalaire. Ce superbe archipel, entre la presqu'île de Giens et le large du Lavandou, comprend les îles de Porquerolles, de Port-Cros et du Levant. Appelées aussi îles d'Or depuis François Ier, elles constituent une sorte de sanctuaire de la nature, miraculeusement préservée des excès du tourisme de masse. Couvertes d'une abondante végétation méditerranéenne et peu urbanisées, elles sont un lieu d'excursion idéal. Une réglementation sévère y est appliquée et l'automobile n'y a pas droit de cité.

L'île de Porquerolles, la plus grande, mesure sept kilomètres de longueur pour une superficie totale de 1250 hectares. Elle est bordée au nord de plages de sable et de criques ombragées de pins. Le fort Sainte-Agathe domine le petit village. Occupant la presque totalité de l'île, la forêt culmine au sémaphore, d'où l'on a une belle vue.

La côte sud est abrupte et le panorama de l'esplanade du phare magnifique. Acquise par l'Etat, l'île de Porquerolles a vu la création d'un parc domanial et d'un conservatoire botanique dans le courant des années

soixante-dix. Dans *Mon ami Maigret* (1949), Georges Simenon dépeindra avec une tendresse particulière le cadre de cette île qu'il apprécie tout particulièrement. Située au nord-est de Port-Cros, l'île du Levant, étroite arête rocheuse de huit kilomètres de long, entourée de falaises, appartient en fait à la marine nationale qui y entretient une base expérimentale. Les ruines du fort Napoléon dominent le village naturiste d'Héliopolis.

Les Maures et l'Esterel

D'Hyères à Fréjus s'étend un massif ancien très caractéristique qui n'a pas grand-chose de commun avec le reste de la Provence, Esterel excepté : le massif des Maures. Si la côte est très fréquentée, avec des stations renommées comme Cavalaire-sur-Mer, Saint-Tropez ou Sainte-Maxime, la montagne, sauvage et parfois isolée, reste à peu près déserte. La végétation se révèle dense : chênes blancs, chênes-lièges, châtaigniers, etc., mais subit hélas souvent les ravages des incendies de forêts qui dévastent la région. Son relief assez mouvementé culmine à 779 mètres à la Sauvette et à 771 mètres à Notre-Dame-des-Anges, au nord du vieux bourg de Collobrières. On peut penser que le nom évocateur de "maures" doit beaucoup aux redoutables Sarrasins qui occupèrent la région à plusieurs reprises, mais il semble en fait qu'il vienne plus prosaïquement du grec *amauros* qui signifie *sombre*. De là, le provençal a donné le mot *maouro*, qui désigne un bois de pins sombre, végétation caractéristique de la côte.

La Corniche des Maures

Ravissant bourg fleuri au pied du massif forestier du Dom, Bormes-les-Mimosas offre une belle vue sur le cap Bénat. Ses rues pittoresques, en contrebas de l'église Saint-Trophime, XVIIIe, et du château des seigneurs de Fos, incitent à la flânerie. La mer n'est pas très loin, mais il faut gagner Le Lavandou, port de pêche et station balnéaire réputée, pour en goûter tous les charmes.

La Corniche des Maures, du Lavandou à La Croix-Valmer, reste splendide en dépit des trop nombreuses constructions qui la jalonnent. A Saint-Clair, où les roches rouges des Baleines contrastent avec la plage, un sentier botanique aux essences multiples (bruyères, genêts, pins, lavandes, oliviers, etc.) serpente dans un superbe cadre. Cavalière déploie une superbe plage entre la pointe du Layet et le cap Nègre. Pramousquier, Canadel-sur-Mer et le site du Rayol sont autant d'agréables petites stations, au pied du col du Canadel. Au Rayol, un grand escalier fleuri descend jusqu'à la mer. Sur la baie de Cavalaire limitée à l'est par le cap Lardier, et au pied des Pradels, Cavalaire-sur-Mer attire de nombreux estivants grâce à sa grande plage de sable fin. Un service de vedettes relie Cavalaire aux îles d'Hyères.

Le massif du Tanneron

Prolongeant l'Esterel au-delà du ravin de l'Argentière qui l'en sépare, le massif du Tanneron présente la particularité d'être couvert de mimosas, arbustes de la famille de l'acacia aux fleurs jaune vif, célèbres dans le monde entier. En dépit des incendies et des grands froids de ces dernières années, le mimosa perdure. Une belle route traverse le massif depuis le lac de Saint-Cassien jusqu'à Mandelieu.

Le village de La Croix-Valmer, au milieu des vignes, domine la baie, et la belle route du col de Collebasse mène au cap Camarat, à Ramatuelle et à Saint-Tropez.

La chartreuse de la Verne

Au départ du col du Canadel, vers l'ouest, la route des Crêtes rejoint Bormes, passant notamment par Pierre d'Avenon, vaste chaos rocheux d'où l'on a une jolie vue sur Bormes-les-Mimosas, Le Lavandou et la

côte des Maures. Au-delà, après le col de Gratteloup, puis le col de Babaou, on gagne Collobrières, célèbre pour ses marrons glacés, ses confitures et son miel. Au nord, par le col des Fourches, on atteint le deuxième sommet du massif des Maures : de la petite chapelle de Notre-Dame-des-Anges, le panorama est immense.

A l'est de Collobrières, à proximité de la forêt du Dom, domaine privilégié du *Maurin des Maures* du romancier Jean Aicard, se trouve sans doute le plus beau site du massif des Maures : la chartreuse de la Verne, isolée au milieu d'une vaste forêt. Edifiés au XIIe siècle, sur l'initiative des évêques de Toulon et de Fréjus, les bâtiments ont été construits en schiste brun, et la serpentine, pierre verte des Maures, a été utilisée pour certains ornements décoratifs.

S'il ne reste que peu de chose de la période romane, les ruines de la chapelle notamment, l'ensemble mérite cependant qu'on s'y attarde : portail monumental du XVIIe siècle, hostellerie, bâtiments claustraux XVIIe et XVIIIe, vestiges d'un moulin à vent, etc.

A proximité, La Môle est l'un des plus anciens villages de la région. Son château remonte au XIe siècle. De là, on rallie Cogolin, vieux bourg commerçant réputé pour ses fabrications de tapis, de pipes et de céramiques. Grimaud, village perché au cadre enchanteur en contrebas des ruines du château féodal des Grimaldi, mène au lieu-dit les Roches Blanches, d'où la vue se révèle magnifique sur le golfe de Saint-Tropez, mais aussi sur le massif des Maures et la belle forêt de la Garde-Freinet.

Saint-Tropez

Par la grâce des artistes qui l'ont visité voici un siècle, puis par un phénomène de mode aussi soudain qu'inattendu, le port de pêche est devenu au fil des ans l'une des grandes stations en vogue de la côte, connue dans le monde entier. Dans la seconde moitié du XIXe siècle, Guy de Maupassant pouvait écrire de Saint-Tropez : "C'est une de ces charmantes et simples filles de la mer, une de ces bonnes villes modestes poussées dans l'eau comme un coquillage, nourries de poissons et d'air marin, et qui produisent des matelots..." Ce paradis de la Côte d'Azur, mis à l'honneur par tant de célébrités, vit davantage aujourd'hui du tourisme que des produits de la mer. La terrasse de Sénéquier a fait reculer le marché aux poissons, les yachts rutilants l'emportent sur les barcasses, mais l'endroit revêt bien des charmes, d'autant plus qu'en dehors de la saison touristique, la petite cité retrouve sa quiétude. C'est à la fin du XIXe siècle que Paul Signac s'installe à Saint-Tropez. Séduit par le lieu, il y peint de nombreux tableaux, déployant les merveilles colorées du pointillisme. Par la suite, bien d'autres peintres viendront découvrir ce petit coin de Provence : Bonnard, Marquet, Manguin, Matisse, Dunoyer de Segonzac, etc. Beaucoup de ceux-ci sont représentés dans les remarquables collections d'art moderne du musée de l'Annonciade, aménagé dans l'ancienne chapelle de l'Annonciade, tout près du vieux port. Il renferme aussi des peintures de Seurat, Utrillo, Braque, Dufy, Rouault, Van Dongen, Vlaminck, Derain, Picabia, et des sculptures de Maillol et de Despiau.

Autour de Gassin et Ramatuelle

Charmant petit bourg perché dans un site splendide des Maures, au milieu des châtaigneraies, la Garde-Freinet conserve un cachet typiquement provençal. Nombre de chroniqueurs locaux en ont fait le bastion des envahisseurs maures qui ont occupé la région pendant un siècle. Le village compte de nombreuses ruelles en pente qui ajoutent au charme du lieu. Des artisans animent avec intelligence la petite industrie locale de châtaignes et de bouchons (les chênes-lièges sont nombreux).

Au sud du village, par la route de Famorane, on accède aux ruines du château fort, dont l'origine semble incertaine. Un sentier de grande randonnée mène jusqu'à la côte et aboutit à Port-Grimaud, cité lacustre due à l'imagination de l'architecte François Spoerry. On peut aussi rejoindre Gassin, autre village perché, sans doute pour se préserver des Barbaresques, qui conserve une petite église romane fort pittoresque. De là, on gagne facilement le lieu-dit des Moulins de Paillas, les moulins sont en ruines, mais le point de vue paraît sans fin. C'est aussi le point culminant de la presqu'île de Saint-Tropez.

Juchée sur une hauteur, Ramatuelle subit de nombreux assauts au cours de son histoire, les vestiges de ses fortifications en témoignent. Le village, apprécié des estivants, domine le petit vallon du Gros Valat qui se jette dans l'anse de Pampelonne. Les maisons se pressent autour de l'église Notre-Dame ; celle-ci possède une tour du XIIIe siècle, qui s'intégrait, sans doute, à l'enceinte médiévale. L'acteur Gérard Philipe repose au cimetière.

Saint-Tropez

Fondé par les Grecs, connu des Romains, Saint-Tropez doit son nom au centurion Torpes, décapité sur les ordres de Néron, pour avoir adopté la religion chrétienne. La légende relate que le corps du martyr fut

déposé dans une barque aux côtés d'un coq et d'un chien. Ceux-ci ne touchèrent pas à la dépouille, qui vint s'échouer intacte sur le rivage de la côte, tout près de l'emplacement de l'actuel Saint-Tropez. Le lieu devint sacré et un pèlerinage y consacra le miracle. Les Bravades, aujourd'hui encore, célèbrent saint Tropez à travers toute la ville durant les mois de mai et de juin. Ces pittoresques fêtes honorent aussi le passé guerrier des Tropéziens qui, de tout temps, assurèrent la défense du golfe contre les envahisseurs. Pêcheurs, corsaires, marins, à l'image de Pierre-André de Suffren qui séjourna à plusieurs reprises à Saint-Tropez, les habitants le furent tour à tour et parfois simultanément.

Le port, le môle Jean-Réveille, d'où l'on peut voir, le soir, revenir les bateaux, la tour du Portalet, le quartier de la Ponche, avec l'ancien port des pêcheurs aux vieilles maisons peintes sont autant de plaisants lieux de promenade. La place des Lices, où se tient le marché, voit aussi s'organiser d'interminables parties de boules sous de légendaires platanes. Quant à la citadelle, bâtie sur le roc, à l'est de la ville, elle mérite sans conteste qu'on la visite. Elle date du XVIe siècle, dans une enceinte XVIIe. Le donjon hexagonal abrite un captivant musée naval. A proximité de Saint-Tropez, les plages sont nombreuses (la Bouillabaisse, à l'ouest ; les Graniers, les Canabiers et les Salins, à l'est ; les plages de l'anse de Pampelonne, au sud, entre le cap Pinet et la pointe de Bonne Terrasse). Un sentier de vingt kilomètres fait le tour de la presqu'île.

Sur la rive nord du golfe, en face de Saint-Tropez, la grande station balnéaire de Sainte-Maxime attire, elle aussi, de nombreux estivants, mais l'atmosphère y est sans doute plus traditionnelle. Pillée par les pirates de toutes sortes, la cité fut fortifiée par les moines des îles de Lérins. La tour Carrée, en face de l'église, sur le port, reste l'un des vestiges de ces fortifications du XVIe siècle. Un musée des traditions locales y est installé.

Au nord-ouest, par le col de Gratteloup, on accède au village ruiné de Vieux-Revest. Au-delà,

Roquebrune-sur-Argens domine la plaine de l'Argens. L'église du bourg possède deux chapelles aux épaisses croisées d'ogives fort caractéristiques. A l'ouest, un sentier mène au circuit de la montagne de Roquebrune, petit massif escarpé de grès rouge. Du sommet, l'on jouit d'une belle vue sur le golfe de Fréjus.

Forum Julii, ville d'art et d'histoire

De Sainte-Maxime à Saint-Aygulf, la côte, très découpée, regorge de petites calanques. Saint-Aygulf offre une belle plage de sable fin face à l'Esterel, aux Plans de Provence et à la montagne de Roquebrune.

Importante colonie romaine, cité épiscopale, carrefour touristique entre les Maures et l'Esterel, Fréjus est bâtie sur un promontoire rocheux qui surplombe les plaines alluviales de l'Argens et du Reyran. Légèrement en retrait du littoral, la ville bénéficie en outre de la magnifique plage de Fréjus-Plage. L'antique Forum Julii, base navale et port marchand, comptait sans doute quarante mille habitants au début de notre ère. Les ruines romaines témoignent de l'étendue de la cité : à l'ouest, les arènes, de facture assez sommaire par rapport à celles de Nîmes, d'Orange ou d'Arles, sont bien dégradées. Non loin de là, près de la gare, la porte des Gaules conserve la base d'une des tours qui la flanquaient.

Au nord, le théâtre se réduit à quelques pans de murs. L'aqueduc de quarante kilomètres, qui amenait l'eau de la Siagnole jusqu'à Fréjus, a presque entièrement disparu. Seules quelques arches subsistent entre les pins, au nord de la ville. Au sud, les vestiges du port et de la citadelle demeurent : la plate-forme, la porte d'Orée, la butte Saint-Antoine, la lanterne d'Auguste, ancien amer élevé au Moyen Age sur les ruines d'une tour romaine qui marquait l'entrée du port. La ville médiévale, sensiblement plus petite que la cité romaine, se rassemble autour de la place Formigé.

Jadis fortifié, le quartier épiscopal comprend le baptistère octogonal, du Ve siècle, l'un des plus beaux et des plus anciens de France ; le cloître de la fin du XIIe siècle, où a été aménagé un musée archéologique ; la maison du Prévot, ou "Capitou", longeant la galerie ouest du cloître ; la cathédrale, remarquable exemple du gothique provençal ; et le palais épiscopal, comme encastré dans l'hôtel de ville du XIXe.

Le célèbre Hermès bicéphale en marbre blanc, découvert en 1970, illustre à lui seul les riches collections d'antiquités gallo-romaines du musée archéologique, provenant en grande partie des fouilles de Fréjus.

Les oliveraies

Les oliviers sont partout en Provence : "Le murmure d'un verger d'oliviers a quelque chose de très intime, d'immensément vieux. C'est trop beau pour que j'ose le peindre ou puisse le concevoir." Ainsi s'exprimait Van Gogh dans l'une de ses lettres à son frère Théo, en 1899. Pourtant le peintre a représenté plusieurs fois des oliveraies, notamment à Saint-Rémy.

Fayence et les Plans de Provence

Au nord de Fréjus, le village perché de Fayence constitue le point de départ d'un intéressant circuit du haut Var. Vers Mons, la Roche Taillée, ruines d'un aqueduc romain, présente en divers endroits, les vestiges d'un canal creusé à même la roche. Dans un site admirable sur le flanc des Plans de Provence, au-dessus des gorges de la

Siagnole, Mons se révèle particulièrement pittoresque, l'on peut encore y voir les *pontis* qui relient entre elles les maisons du village. Dans l'église Notre-Dame, sont conservés des retables du XVIIe siècle. La Martre, Châteauvieux, La Bastide-d'Esclapon, La Roque-Esclapon mènent à Bargème, le plus haut village du Var.

Comps-sur-Artuby, bourg des Plans de Provence, proche des gorges de l'Artuby, et dominé par un rocher portant le vieux village perché en ruines, possède une église construite au XIIe siècle par les chevaliers de l'ordre de Saint-Jean. Au sud, la route de Draguignan longe les gorges puis traverse le camp militaire de Canjuers, qui occupe une grande partie des Plans, immenses causses sauvages à la pauvre végétation. Bargemon, ancienne place forte, conserve d'importants restes de fortifications. L'église, qui s'intégrait au système de défense, possède un clocher carré du XVIIe siècle. Au nord, le col du Bel-Homme offre de beaux points de vue.

Entre Bargemont et Fayence, plusieurs petites chapelles romanes méritent d'être visitées : Notre-Dame-de-Montaigu, Saint-Arnous, Notre-Dame-de-l'Ormeau (près de Seillans), Notre-Dame-des-Cyprès.

Draguignan et le haut Var

En redescendant vers le sud, on rejoint le circuit des gorges de Châteaudouble, très encaissées et boisées, avant de gagner Draguignan. Au pied du Malmont, le pittoresque vieux quartier de Draguignan, jadis fortifié (deux portes-tours subsistent : celle de Portaiguière, XIVe, et la porte dite romaine, XIVe, place aux Herbes), enserre la tour de l'Horloge, bâtie en 1663 à l'emplacement de l'ancien donjon. Elle est surmontée d'un campanile en fer forgé du XVIIIe siècle. Du haut de la tour, le panorama s'étend sur la ville. La place du Marché, avec ses platanes et ses fontaines, témoigne d'une animation certaine les jours de marché, tandis que la vieille ville et ses ruelles conservent tout leur charme. Draguignan constitue aussi une étape idéale entre les gorges du Verdon et les plateaux de haute Provence.

A la sortie de la ville, au nord-ouest, l'imposant dolmen de la Pierre de la Fée surprend par ses dimensions. Trois pierres dressées supportent une table de plus de six mètres de long sur près de cinq mètres de large. La dalle pèse plus de quarante tonnes. La légende raconte que c'est un seigneur du lieu qui, pour l'amour d'une fée, assembla cet autel avec des pierres venues de la montagne de Fréjus. Le prétendant, qui était aussi un peu génie, se mit à l'œuvre, mais dut en fin de compte accepter l'aide de sa bien-aimée pour hisser la dernière pierre.

A l'ouest de Draguignan, Flayosc a gardé ses portes du XIVe siècle. Tourtour, magnifique village perché, a conservé des restes de remparts. A quelques kilomètres, au pied des Plans de Provence, Villecroze est dominée par une falaise percée de grottes, dont la plupart furent habitées. Situé au pied de la montagne des Espiguières, Aups est un plaisant village aux nombreuses maisons anciennes. Sur l'esplanade à platanes, l'église Saint-Pancrace, gothique méridional, abrite un trésor.

Salernes, dans la vallée de la Bresque, possède une église romane du XIIIe siècle, surmontée de deux clochers. Au sud-ouest, Cotignac est bâtie au pied d'une falaise criblée de grottes au sommet de laquelle subsistent deux tours massives, vestige d'un château médiéval. Le village, superbe, offre plusieurs possibilités d'excursion. L'une d'elles mène à la chapelle Notre-Dame-des-Grâces, lieu de pèlerinage, où vinrent se recueillir Louis XIV et Anne d'Autriche en 1660. Le petit village d'Entrecasteaux, dans une boucle de la Bresque, demeure fameux pour son château XVIIe, entouré de beaux jardins dessinés par Le Nôtre. Madame de Sévigné y séjourna.

Le massif de l'Esterel

Le tour du massif par la nationale 7 et la fameuse Corniche d'Or de l'Esterel, de Fréjus à La Napoule, représente une excursion à nulle autre pareille. "A partir de Fréjus, on ne fait que monter très haut et très rapidement. Le précipice est toujours à côté… Pour moi, je trouvai ce chemin le plus beau du monde. En effet, il est fait avec grand soin et tout bordé de forêts et d'arbres admirables…" Ainsi s'exprimait le président de Brosses en 1740. Depuis, la route de la Corniche, ouverte en 1903, est venue s'ajouter à la route des Adrets, évoquée par Charles de Brosses. Jalonnée de nombreux lieux de villégiature, la Corniche se présente comme l'un des hauts lieux du tourisme du Sud de la France. L'urbanisation est cependant limitée par le périmètre de la forêt domaniale et, depuis 1995, par l'inscription du massif comme site classé.

L'Esterel et le mont vinaigre

Massif ancien comme les Maures, l'Esterel se caractérise par les tonalités roses et rouges de sa pierre, le porphyre, et son relief mouvementé, mais raboté par l'érosion. Jadis très boisé, ce massif a beaucoup souffert des incendies de forêt et de la maladie qui touche le pin maritime. Le spectacle de ces immenses roches rouges, semblant surgir de la mer, reste cependant extraordinaire.

Le "chemin" du président de Brosses, future nationale 7, empruntait en fait le parcours de la grande voie romaine qui reliait Rome à Arles : la via Aurelia, passant par Antibes, Fréjus, Aix… Après Arles, la via Domitia prenait le relais vers l'Espagne. A quelques kilomètres de Fréjus, sur la nationale 7 vers Cannes, une route puis un chemin mènent au mont Vinaigre, le point culminant de l'Esterel, à 618 mètres d'altitude, où l'ancienne vigie permet de découvrir l'un des plus beaux panoramas de Provence : la côte, les Plans de Provence et les Maures, les Alpes. Au nord, une route permet de rejoindre le lac de Saint-Cassien, non loin de Fayence. La nationale passe ensuite par l'Auberge des Adrets, l'ancien relais de poste qui servit de refuge à Gaspard de Besse, le célèbre bandit, exécuté en 1781. Le paysage sauvage et tourmenté nous rappelle qu'il n'y a pas encore si longtemps, à la fin du XIXe siècle, la forêt de l'Esterel n'était pas considérée comme des plus sûres. Entre les massifs de l'Esterel et du Tanneron, la route descend ensuite vers la côte pour aborder la plaine de la Siagne, où se trouve Mandelieu-La Napoule. Un peu auparavant, on est passé du département du Var à celui des Alpes-Maritimes.

Saint-Raphaël et la Corniche d'Or

Grande station balnéaire au pied de l'Esterel, Saint-Raphaël, comme sa grande voisine Fréjus, doit sa naissance à Jules César. Son église romane du XIIe siècle, au cœur de la vieille ville, a été construite à l'emplacement d'une église plus ancienne qui servait de refuge aux villageois lors des attaques sarrasines. Elle a conservé sa tour de guet. Le musée d'archéologie présente notamment une intéressante collection d'amphores récupérées dans la rade de Saint-Raphaël.

C'est dans le petit port de la ville que Bonaparte débarque, à son retour d'Egypte, en 1799 ; mais c'est aussi là, en 1814, que l'empereur vaincu embarque pour

l'île d'Elbe. En dépit de cela, Saint-Raphaël serait resté un tranquille village de pêcheurs s'il n'avait connu, à la fin du XIXe siècle, un essor touristique notoire, sans doute facilité par la proximité de la voie ferrée. A quelques kilomètres à l'est, Boulouris, au milieu des pins, possède une belle plage. Au-delà, la célèbre Corniche de l'Esterel dévoile ses fantastiques paysages de rochers plongeant dans la mer.

Le parc forestier du cap du Dramont, ceinturé de calanques, entre les plages du Dramont et de Camp-Long, invite à la promenade. Du sémaphore, à l'entrée de la baie d'Agay, le panorama se révèle superbe sur les îlots rocheux de porphyre du Lion de Mer et du Lion de Terre, au large de Saint-Raphaël. Agay, au bord d'une admirable baie dominée par le rouge Rastel d'Agay, offre plusieurs possibilités d'excursions dans l'Esterel, vers Valescure, à l'ouest, ou vers le ravin du Mal-Infernet, le lac de l'Ecureuil et le pic de l'Ours, au nord-est. Le tour des routes forestières des cols permet de découvrir le massif de l'Esterel : cols des Suvières, des Trois-Termes, de la Cadière, Notre-Dame, des Lentisques, de l'Evêque. Les vues sur la Corniche sont magnifiques. D'Anthéor, on accède au rocher de Saint-Barthélémy et à la pointe de l'Observatoire, près du cap Roux. Une petite route mène au pic du Cap Roux, à 450 mètres d'altitude.

La Corniche d'Or abrite encore bien des merveilles : Le Trayas, Miramar, la pointe de l'Esquillon, qui offre une vue étendue sur Cannes et Antibes, Théoule-sur-Mer, sur les dernières pentes de l'Esterel. Les petites plages de La Napoule entourent le château médiéval très restauré du sculpteur américain Henry Clews. De la plage du Château, un sentier mène à la pointe des Pendus. Un grand golf a été aménagé de part et d'autre de l'embouchure de la Siagne. Mandelieu, au pied du massif du Tanneron, reste la capitale du mimosa. A l'est, tout près de la nationale 7, le joli ermitage de Saint-Cassien s'élève sur une butte, au milieu des cyprès. Avant de poursuivre vers Cannes et la côte d'Antibes, on peut remonter la Siagne vers Grasse.

Grasse

Au pied des Plans de Provence, la capitale des parfums et des fleurs étage ses rues en lacets autour du promontoire qui porte sa vieille ville.

C'est peut-être Catherine de Médicis qui, lassée des parfums d'Orient, envoya le Florentin Tombarelli à Grasse pour expérimenter de nouveaux parfums grâce à ses alambics. La mode des gantiers parfumeurs, au XVIIe siècle, fit le reste. Les fleurs qui ajoutaient beaucoup au charme des environs devinrent une source de richesse inégalée pour la petite cité qui exporta bientôt ses essences jusqu'à Beaucaire. La concurrence entraîna les firmes de Grasse à abandonner la fabrication des produits finis et à se spécialiser dans la production des matières premières naturelles. Le musée international de la Parfumerie, installé dans la ville, retrace l'histoire de cet artisanat depuis l'Antiquité jusqu'à nos jours.

Après avoir connu une indépendance frondeuse, sur le modèle des républiques italiennes, Grasse entre dans le domaine des comtes de Provence au XIIIe siècle et se trouve intégrée au royaume de France en 1482, comme le reste de la Provence. La ville subit de plein fouet, aux siècles suivants, l'invasion des troupes de Charles Quint, les soubresauts des guerres de Religion, et, lors de la guerre de Succession d'Autriche en 1746, l'occupation austro-sarde.

La Révolution divise la contrée et Grasse devient chef-lieu du département du Var. En mars 1815, après son débarquement à Golfe-Juan et son bref passage à Cannes, Napoléon, voulant éviter la vallée du Rhône qu'il sait hostile, prend la route de Grasse pour rallier Grenoble, au travers des Alpes. L'empereur contourne en fin de compte la ville avant de gagner Saint-Vallier, Escragnolles, Séranon, Castellane, Digne, Sisteron et Gap, traçant ainsi le premier tronçon de ce qui allait devenir la Route Napoléon. Grasse, ville natale du poète Bellaud de la Bellaudière et du peintre Fragonard, accueillit aussi, au XIXe siècle, la princesse Pauline Bonaparte et la reine Victoria.

La place du Cours, entourée par les jardins de la villa-musée Fragonard et le jardin des Plantes, constitue le point de départ idéal de la visite de la vieille ville de Grasse. Des platanes ont remplacé les micocouliers, mais la promenade se révèle toujours aussi agréable, en grande partie grâce à la très belle vue sur la campagne et la côte. Du cours on accède aisément à l'ancienne cathédrale Notre-Dame-du-Puy, dont la construction remonte sans doute au XIe siècle, mais qui a été remaniée au XVIIe et au XVIIIe siècle. On remarque en particulier les arcatures aveugles à la lombarde de sa façade. Bel exemple du roman provençal, marqué d'apports gothiques, Notre-Dame abrite trois tableaux de Rubens, le retable de saint Honorat attribué à Louis Bréa, et le

Grimaud

Comme Ramatuelle, Gassin ou La Garde-Freinet, Grimaud est un beau village perché du Var. Ses rues fleuries qui montent vers le château sont particulièrement pittoresques. Situé en contrebas de l'imposant château féodal des Grimaldi, Grimaud a retrouvé, depuis le début des années soixante-dix, une vocation maritime avec la création de l'urbanisation touristique de Port-Grimaud, sur le littoral.

Lavement des pieds de Jean-Honoré Fragonard. Jouxtant la cathédrale, place du Petit-Puy, l'hôtel de ville n'est autre que l'ancien palais épiscopal ; il conserve, malgré de nombreux remaniements, une part de son caractère médiéval. Son imposante tour carrée en tuf date du XIIe siècle. Par les rues avoisinantes, on accède à l'église de l'Oratoire, bâtie au XVIIe siècle. Tout près, la place aux Aires, avec ses arcades, accueille un pittoresque marché aux légumes et aux fleurs. La ville compte aussi de beaux hôtels XVIIIe, en particulier l'ancienne demeure de Louise de Mirabeau, sœur du bouillant tribun, qui abrite aujourd'hui le musée d'Art et d'Histoire de la Provence. Le musée de la Marine Amiral de Grasse est installé, quant à lui, dans l'ancien hôtel de Pontevès.

Les environs de Grasse, bien que parfois négligés par des visiteurs trop pressés, méritent d'être explorés. A l'ouest, le pittoresque village de Cabris, ramassé sur un éperon rocheux, possède une belle église du XVIIe. Des ruines du château, le panorama est très étendu sur la région : l'Esterel, La Napoule, les îles de Lérins, Mougins… Dominant les gorges profondes de la Siagne, le village perché de Saint-Cézaire-sur-Siagne remonte au Moyen Age. Des vestiges de fortifications, et en particulier deux tours-portes du XIVe siècle, sont encore visibles. La petite chapelle du cimetière date du XIIIe siècle. A quelques kilomètres, on découvre les grottes de Saint-Cézaire aux concrétions colorées.

La route qui remonte les gorges de la Siagne jusqu'à Mons se révèle magnifique. On peut aussi obliquer vers Saint-Vallier-de-Thiey et gagner le haut pays grassois. Le paysage change et les premiers contreforts des Préalpes annoncent la vraie montagne. Les paysages pastoraux qui entourent le village médiéval de Saint-Vallier-de-Thiey cèdent bientôt la place à des zones plus arides. Si l'on se dirige vers le nord-ouest, par le Pas de la Faye et le col de Valferrière (1169 mètres), on rejoint la Route Napoléon, vers Séranon et Castellane.

Un peu à l'est, le hameau de Thorenc, sur les pentes boisées du col de Bleine, est à 1250 mètres d'altitude. Les environs offrent de nombreuses possibilités de promenades pédestres (Castellaras, Andon, La Ferrière, Valderoure, Caille, Séranon) ou permettent même la pratique des sports d'hiver (station de l'Audibergue, culminant à 1642 mètres). En redescendant vers Grasse, on parvient au plateau de Caussols, causse sauvage, percé par endroits de gouffres, qui peut se révéler dangereux pour les randonneurs inexpérimentés.

La lavande

La route de la Lavande, d'Avignon à Nice, passe par le plateau de Valensole, dont les belles vagues mauves ondulent sous l'effet du vent. C'est ensuite Digne, où se tient chaque année, durant le mois d'août, une grande foire de la lavande. Les essences de lavande étant utilisées avant tout pour la parfumerie, on ne s'étonnera pas que la petite fleur bleue soit reine à Grasse, mais on la trouve aussi au nord de Nîmes, sur les plateaux de Vaucluse et dans la vallée du Rhône. Il existe en fait plusieurs espèces de lavande et sa production est en progression.

Un sentier de grande randonnée traverse le plateau, de Grasse à Gréolières. La route qui part de Gourdon, à l'extrémité est du plateau, permet de découvrir de beaux circuits dans les gorges du Loup. Village perché sur le rebord du plateau de Caussols, dans un site impressionnant, à plus de 700 mètres d'altitude, Gourdon abrite un château fort, remanié au XVIIe siècle.

La vallée du Loup, depuis Andon (le Loup prend sa source dans la montagne de l'Audibergue) jusqu'à la côte, non loin de Cagnes-sur-Mer, se révèle typique des paysages de haute Provence et constitue

l'une des plus belles curiosités de la région. Après Gréolières, entre le pont de Bramafan et Pont-du-Loup, la rivière s'encaisse dans un étroit canyon aux parois spectaculaires. Le Saut du Loup, célèbre pour ses cascades, marque l'entrée des gorges au décor vertigineux. La basse vallée du Loup, au débouché des gorges, traverse une cuvette que dominent les pittoresques villages du Bar-sur-Loup et de Tourette-sur-Loup. Le Bar-sur-Loup, curieux village perché tout en rond, remonte au Moyen Age, mais le château des comtes de Grasse date du XVIIe. Dans l'église Saint-Jacques, on peut admirer un grand retable attribué à Louis Bréa et une *Danse macabre* du XVe siècle, particulièrement évocatrice. La petite ville fortifiée de Tourette-sur-Loup, dont les maisons semblent former un rempart, à pic au-dessus de la rivière, conserve plusieurs vestiges de son enceinte médiévale, notamment deux portes et un très beau donjon du XIIIe siècle. L'église renferme plusieurs œuvres d'art, parmi lesquelles un triptyque de l'Ecole niçoise. De nombreuses activités artisanales sont mises à l'honneur dans ce site merveilleux qui demeure aussi le "pays de la violette".

Cannes, Nice et la Riviera

Habitée par les Ligures, devenue comptoir romain, Cannes sera longtemps administrée par les moines des îles de Lérins qui la protègent des incursions sarrasines. Son nom de Canoïs provient sans doute des roseaux qui abondent dans les marais des alentours. Le village, bâti autour du *castrum*, sur la colline du Suquet, attire bien des convoitises. A peine libéré des menaces sarrasines, le pays cannois subit plusieurs invasions. Tout au long des siècles qui vont suivre, Français, Espagnols et sujets du roi de Savoie s'opposent pour la conquête de la région.

Cannes et les îles de Lérins

Désormais rivale de Nice, Cannes entend ne pas se reposer sur ses lauriers. Les événements que sont le Festival international du Film, créé en 1946, et le Midem (Marché international du disque et de l'édition musicale) ajoutent encore à sa renommée. Les grands hôtels édifiés sur la Croisette ne suffisent plus à accueillir une clientèle internationale devenue pléthorique ; les hauteurs de la ville se sont peuplées de nombreuses villas, tandis que de nouvelles populations de résidents ont fait de Mougins et du Cannet les faubourgs de Cannes.

Il y a près de cent cinquante ans, Prosper Mérimée passait ses derniers jours à Cannes, et Maupassant, de son yacht "Bel Ami", jetait des regards attendris sur une côte encore presque sauvage. Plus près de nous, le souvenir de Bonnard demeure attaché au Cannet et celui de Picasso reste intimement lié au destin de Mougins. Au Moyen Age, ce charmant village rayonnait sur la région, peut-être grâce au sanctuaire de Notre-Dame-de-Vie, situé dans un cadre admirable.

Les lumières de la Croisette ne doivent pas faire oublier que Cannes renferme aussi quelques joyaux cachés. Le joli port de pêche et de plaisance aux yachts rutilants est dominé par le vieux quartier du Suquet, auquel on accède par la vivante rue Meynadier. A l'emplacement du château des abbés de Lérins, dont il reste quelques vestiges, le musée de la Castre abrite des collections archéologiques et ethnographiques du monde entier. Sur la place de la Castre, Notre-Dame d'Espérance offre un bel exemple de gothique provençal.

De la tour du mont Chevalier, haute de vingt-deux mètres, le panorama est splendide sur la baie de Cannes et sur l'Esterel. Cette ancienne tour de guet, construite au Moyen Age par les abbés de Lérins, s'intégrait au système défensif conçu par les moines pour protéger le site des razzias des pirates. Les îles de Lérins, au large de la pointe de la Croisette, sont connues depuis l'Antiquité.

La Croisette et les palaces

Ce haut lieu touristique, l'un des symboles de la Côte d'Azur, doit une part de son essor à un aristocrate anglais, lord Brougham. En 1834, celui-ci, désirant se rendre à Nice, ne peut franchir le Var, car une épidémie de choléra sévit alors en Provence et les autorités niçoises ont décidé de fermer la frontière, Nice et son arrière-pays sont en effet revenus dans le giron du roi de Sardaigne depuis 1814. Lord Brougham fait demi-tour et décide de s'arrêter à Cannes, qui n'est alors qu'un modeste port de pêche de trois mille habitants. Séduit par le site, il y revient régulièrement, notamment pendant l'hiver où le soleil cannois exerce son influence bénéfique. De nombreux Anglais suivent son exemple et Cannes devient bientôt un lieu de villégiature apprécié de l'aristocratie européenne et des "grands" de ce monde. L'arrivée du chemin de fer vers 1850 et l'aménagement de la Croisette, en 1868, donnent de nouveaux atouts à l'éden cannois. Les premiers palaces voient le jour dans les années 1900. Cannes compte alors plus de vingt mille habitants et s'affirme comme l'une des reines de la Côte d'Azur.

Paradis de verdure qui semble jaillir de la mer, ce site préservé constitue un lieu d'excursion idéal.

Sur l'île Sainte-Marguerite, la plus étendue, se dresse le Fort Royal, construit sous Richelieu. Le Masque de Fer, au XVIIe siècle, et le maréchal Bazaine, après la défaite de 1870, y furent emprisonnés. Un réseau de sentiers balisés sillonne la forêt qui couvre la majeure partie de l'île.

De Cannes, une route superbe aux larges tournants mène à Grasse, puis file vers Castellane et Digne, mais la bande côtière de trente kilomètres de long qui s'étend de Cannes à Nice représente le véritable cœur de la Côte d'Azur. Golfe-Juan, le cap d'Antibes, Cagnes-sur-Mer, le cap Ferrat, au-delà de Nice, connus du monde entier, évoquent pêle-mêle souvenirs de vacances, bains de mer, farniente et soleil.

Vallauris, Biot, et le plateau de Valbonne

La belle plage de sable de Golfe-Juan, au pied des collines de Vallauris, rappelle le souvenir de l'Empereur qui débarqua non loin de là, le 1er mars 1815, à son retour de l'île d'Elbe.

La ville de Vallauris, ancien centre de poterie, doit beaucoup à Pablo Picasso, qui travaillait à demeure chez l'un des potiers de la ville, Ramier ; il a, en peu d'années, réalisé de nombreuses céramiques d'une grande qualité. Le château Renaissance a été construit à l'emplacement du château fort initial, rasé par Raimond de Turenne au XVIe siècle. Seule, la chapelle romane a pu être sauvegardée. Dans les années cinquante, elle a été décorée d'une grande composition de Picasso : *La Guerre et la Paix*. Les salles du château, aménagées en musée, présentent notamment une rétrospective de l'édition céramique de Picasso et une intéressante collection du peintre italien Alberto Magnelli. Place Paul-Isnard, où se tient le marché, a été érigée l'*Homme au mouton*, statue en bronze de Picasso.

Beau village perché dominant la vallée de la Brague, et centre de poteries et de verreries réputé, Biot évoque d'abord le nom de Fernand Léger. C'est, en effet, à quelques kilomètres de ce village que le peintre acquit, au début des années cinquante, le mas Saint-André ; quelques années plus tard, dans le même lieu, naissait le musée Fernand Léger, à l'impressionnante façade polychrome de 400 m² en mosaïque-céramique. Les œuvres présentées – peintures, dessins, sculptures, tapisseries – permettent de retracer le parcours de l'artiste, depuis ses œuvres des années 1905-1912 jusqu'à ses derniers tableaux. L'abbaye de Valbonne, fondée au XIIe siècle, a beaucoup souffert au cours des siècles et son église a été fort remaniée. Le village possède une jolie place ombragée à arcades du XVIIe.

L'essor du parc d'activités de Valbonne-Sophia-Antipolis, sorte de Silicon Valley à l'échelle française, dans le site forestier du plateau de Valbonne, exerce une influence positive et importante sur la vie économique de la région. Portant sur des secteurs de pointe comme l'informatique, l'électronique, la médecine, la recherche énergétique, l'enseignement et la formation, cette technopôle, qui, en outre, respecte l'environnement naturel, semble se révéler comme une indéniable réussite.

Juan-les-Pins, station balnéaire célèbre et plage d'Antibes sur le golfe Juan, conserve encore une vraie pinède. Un Festival mondial du Jazz y est organisé chaque été. Le tour du cap d'Antibes, entre Juan-les-Pins et Antibes, permet de découvrir un cadre enchanteur noyé dans la verdure. A la pointe du cap, le bastion du Grillon abrite un petit musée naval et napoléonien non dénué d'intérêt.

De la plage de la Garoupe, on peut monter au plateau de la Garoupe où se trouve le sanctuaire du même nom. La chapelle Notre-Dame-du-Bon-Port, où l'on célèbre chaque année une pittoresque fête des marins, renferme de belles œuvres d'art et une collection d'ex-voto. Le jardin Thuret présente, sur quatre hectares, une magnifique collection d'arbres exotiques, avec notamment des eucalyptus, des cèdres, des cyprès et des pins.

Antibes

Antipolis, le port grec antique, est devenue la vieille ville provençale d'Antibes, qui occupe une situation privilégiée sur la baie des Anges, face à Nice.

Gérée par la famille génoise des Grimaldi depuis 1386, Antibes est cédée à Henri IV au tout début du XVIIe siècle. Ses remparts ont pratiquement disparu, mais la cité, à l'abri des excès touristiques, conserve un cachet certain. Antibes demeure aussi la capitale des fleurs, en particulier des roses, dont les serres couvrent une superficie importante aux alentours.

Le grand fort Carré, au nord de la ville, a été construit au XVIe siècle. Il reste l'un des vestiges, avec les remparts du front de mer, des fortifications qui défendaient la ville, place militaire depuis le XIVe siècle. Le port Vauban, à l'entrée de l'anse Saint-Roch, accueille désormais des bateaux de plaisance. L'ancienne promenade du Front de Mer, avenue Amiral-de-Grasse, au-dessus des falaises, offre un beau point de vue sur le littoral et conduit au musée archéologique, installé dans le bastion Saint-André. Les nombreuses pièces présentées témoignent du riche passé historique de la ville. La place du Safranier et les petites rues qui l'entourent sont au cœur de la vieille ville. De là, on rejoint le cours Masséna, où un merveilleux marché, digne de ceux qu'évoque Gilbert Bécaud dans sa chanson *les Marchés de Provence*, propose fruits, légumes, herbes, aromates et condiments. L'ancienne cathédrale conserve quelques éléments romans, mais elle a été reconstruite au XVIIe siècle.

Le monastère de l'île Saint-Honorat

La plus petite des îles de Lérins, au large de la pointe de la Croisette, abrite un monastère. L'île Saint-Honorat appartient aux moines qui l'habitent encore de nos jours. L'ancien monastère fortifié remonte au XIe siècle. Complété au cours des siècles, l'ensemble a belle allure. Plusieurs petites chapelles, parmi lesquelles la chapelle Saint-Sauveur et celle de la Trinité, sans doute antérieures au XIe siècle, sont disséminées dans l'île.

Vence

Au nord de Cagnes s'étend le domaine de deux grands artistes, qui n'ont peut-être pas grand-chose en commun hormis leur génie de la couleur, Henri Matisse et Marc Chagall. Matisse a conçu et décoré pour Vence, de 1947 à 1951, la chapelle dominicaine du Rosaire, un chef d'œuvre de hardiesse et de simplicité, imprégné d'un fort sentiment religieux. Quant à Chagall, il travaillait à Saint-Paul où il séjournait régulièrement. Matisse appréciait aussi beaucoup la ville de Nice, pour laquelle il réalisa en 1952 une superbe affiche d'après l'une de ses natures mortes : Travail et Joie. C'était une composition très colorée représentant une corbeille de fruits et un palmier. Quelques années plus tard, le maire de Nice, Jean Médecin, demanda à Marc Chagall une nouvelle affiche pour vanter les mérites de sa ville et ce fut la Sirène de la Baie des Anges. Heureuse époque où une municipalité faisait appel aux plus grands artistes pour promouvoir sa politique touristique. Nichée sur un promontoire rocheux cerné par deux ravins, protégée par les Baous, l'antique Vintium fut promue au rang de "cité romaine" par Auguste. Siège d'un évêché dès 374, elle compta plusieurs personnalités comme évêques, en particulier Alexandre Farnèse qui devint le pape Paul III au XVIe siècle. Pendant les guerres de religion, en 1592, la cité soutint victorieusement le siège mené par le chef huguenot Lesdiguières. La vieille ville était entourée d'une enceinte dont plusieurs éléments subsistent, comme le portail Lévis, du XIIIe siècle. Le charme de Vence demeure intact ; la petite place du Peyra, avec sa tour carrée et sa belle fontaine, et les ruelles qui entourent l'ancienne cathédrale romane remaniée, en sont la meilleure illustration.

Pages suivantes
Le port de Nice

Tout près, le château Grimaldi, construit sur le site d'un ancien *castrum* romain, remonte au XVIe siècle. On peut notamment y admirer un vestige de l'édifice du XIIe siècle : une tour romane carrée, provenant sans doute de la démolition d'anciens monuments romains. Au fonds d'archéologie présenté dans le château viennent s'ajouter les importantes collections du musée Picasso. En 1946, le peintre avait en effet installé son atelier dans une partie du château pour y travailler. Il y réalisa un certain nombre de peintures, dont la *Série d'Antipolis*, et décida d'en faire don à la ville. D'autres apports et donations ont permis de constituer une remarquable rétrospective des œuvres du grand peintre espagnol.

Le musée possède aussi une importante collection d'art moderne avec des œuvres de Atlan, Calder, Ernst, Hartung, Léger, Magnelli, Picabia, etc. Des peintures de Nicolas de Staël, qui peignit à Antibes ses dernières toiles avant de se donner la mort, complètent ce bel ensemble.

Cagnes et ses environs

Il existe un autre château Grimaldi sur le rocher de Cagnes-sur-Mer, petite ville qui accueillit nombre d'artistes et qu'appréciait fort Renoir. Les Grimaldi de Cagnes, chassés à la Révolution, reposent toujours dans l'église Saint-Pierre, près du château.

Nichée dans un paysage de collines couvertes d'oliviers, de cyprès, de mimosas et de fleurs de toutes sortes, Cagnes monte du Cros-de-Cagnes, ancien port de pêcheurs devenu station balnéaire en vogue, par la ville moderne, au magnifique vieux bourg fortifié du Haut-de-Cagnes. Le château XIVe-XVIIe, au bel escalier à double révolution, comporte un portail Louis XIII et une cour Renaissance à galeries. Les peintures du plafond de la salle des fêtes, dues au Génois Carlone, sont remarquables. Le château abrite un musée de l'Olivier et un musée d'Art contemporain méditerranéen. Les restes des remparts comprennent plusieurs portes, dont la porte de Saint-Paul, qui était l'entrée principale du bourg. Le pittoresque des rues inégales, où de nombreuses maisons anciennes ont été préservées, contribue au charme des lieux. A l'est, le musée Renoir, installé dans le domaine des Colettes où le peintre passa ses douze dernières années, permet d'admirer une dizaine de toiles de l'artiste, une sculpture de bronze (la *Vénus Vitrix*), dans un cadre conservé en l'état. Au sud-ouest de Cagnes, Villeneuve-Loubet possède un château du XIIIe

Dans la maison natale du cuisinier Auguste Escoffier, chef des cuisines des plus grands hôtels d'Europe entre 1880 et 1920, a été aménagé un musée de l'Art culinaire.

Sur le bord de mer, Villeneuve-Loubet-Plage se signale par l'ensemble architectural de Marina-Baie des Anges aux vagues de béton ondulantes. Le circuit de la Corniche du Var, au départ de Saint-Laurent-du-Var, remonte vers La Gaude, Saint-Jeannet, au pied de son

énorme *baou* (rocher en provençal) et rejoint la route des Crêtes qui part de Vence vers Gattières, Carros, Le Broc, Bouyon, Courségoules, Gréolières.

Vence et Saint-Paul

A quelques kilomètres de Vence, le village fortifié de Saint-Paul a conservé la plupart de ses attraits. Cité prospère au Moyen Age, Saint-Paul résistera aux troupes de Charles Quint lorsque celui-ci envahira la Provence en 1536.

Afin de récompenser les valeureux habitants et pour faire pièce à la citadelle niçoise, François Ier décide de renforcer les fortifications de la cité, mais, bien plus tard, quand Nice est réunie à la France, Saint-Paul voit son influence décliner.

Au lendemain de la Première Guerre mondiale, de nombreux peintres viennent y chercher l'inspiration. C'est une nouvelle chance pour Saint-Paul qui accueille Bonnard, Signac, Modigliani, Soutine, Marquet, Dufy. Ceux-ci se retrouvent à la Colombe d'Or, une sympathique auberge où ils ont table ouverte. D'autres artistes vont faire le voyage ou venir en voisin à la fin des années quarante : Picasso, Léger, Miró, Chagall, Matisse, de même que des écrivains comme Marcel Pagnol, Jacques Prévert ou Jean Cocteau.

Saint-Paul passe pour l'un des villages les plus pittoresques de France et ses ruelles étroites bordées d'antiquaires et d'ateliers d'artisans attirent une foule de visiteurs tout au long de l'année. De ses remparts, l'on a une très belle vue sur la vallée. L'église gothique des XIIe et XIIIe siècles, très remaniée, renferme un riche trésor ; juste en face se dresse l'ancien donjon seigneurial où siège la mairie.

Au nord-ouest de Saint-Paul, la colline de la Gardette abrite depuis 1964 la fondation Maeght qui, dans un cadre somptueux, propose régulièrement des expositions d'artistes contemporains. On doit l'intelligence de cet espace et de son aménagement à l'architecte José-Luis Sert. Dans le parc sont disséminées des sculptures de Miró, Calder, Giacometti, Pol Bury ; des mosaïques de Braque, Chagall, Tal-Coat, Ubac. Le musée présente notamment des œuvres de Bonnard, Derain, Matisse, Kandinsky, Braque, Chagall, Miró, Léger, Bazaine, Hartung, Riopelle, etc., mais aussi de Matta, Rebeyrolle, Soulages, Tapiès, Messagier… ou encore de Adami, Alechinsky, Arroyo, Hantaï, Monory, Recalcati, Titus-Carmel, Viallat, etc.

Nice, perle de la Côte d'Azur

Au Ve siècle av. J.-C., les Grecs de Massalia fondent le comptoir de Nikaïa. En butte aux menées ligures, les premiers Niçois appellent les Romains à la rescousse. Ceux-ci rétablissent l'ordre, mais s'installent de façon durable sur le site. Délaissant le littoral cher aux Grecs, ils préfèrent s'établir sur la colline de Cimiez et bâtissent Cemenelum.

Dès le début de son histoire, Nice se trouve ainsi partagée entre deux pôles : le port et son vieux quartier, à l'est du Paillon, et la colline de Cimiez. Cemenelum acquiert bientôt une grande importance et devient la capitale de la région. Au IIIe siècle apr. J.-C., la ville compte environ vingt mille habitants. Même s'il est le plus petit de la Gaule romaine, son amphithéâtre peut accueillir quatre mille spectateurs. Il en reste quelques vestiges. En revanche, le quartier des Thermes rappelle par son aménagement et sa richesse que le fameux axe de la Via Julia, venant d'Italie, traversait Cimiez.

Par un étonnant retour des choses, les invasions du Ve siècle amènent la population à délaisser Cimiez pour se réfugier progressivement sur la colline du bord de mer. Le centre de la ville se situera désormais là. Influencée par ses voisines italiennes, Nice s'érige en

Saint-Jean-Cap-Ferrat

Saint-Jean-Cap-Ferrat, ancien village de pêcheurs, renferme nombre de résidences qui en font un lieu de villégiature recherché. Un sentier piétonnier relie Saint-Jean à Beaulieu-sur-Mer. C'est dans ce superbe site qu'au début du XXe siècle, l'archéologue Théodore Reinach a fait édifier "Kérylos", minutieuse et splendide reconstitution d'une villa de la Grèce antique. Du jardin surplombant la mer, le panorama s'étend sur le cap Ferrat et le cap d'Ail.

commune autonome au XIIe siècle. Après être passée sous la tutelle des comtes de Provence, Nice rejoint la maison de Savoie en 1388, ce qui lui permet de s'imposer comme métropole maritime et commerciale.

Mises à part quelques brèves périodes, Nice appartiendra aux ducs de Savoie ou au roi de Sardaigne jusqu'en 1860, date de son rattachement à la France. Nice devient aussi une place forte, et cela entraîne parfois de forts désagréments, par exemple au XVIe siècle, quand François Ier et ses alliés turcs assiègent le comté de Nice, allié de Charles Quint.

L'épisode de l'héroïque Catherine Ségurane, repoussant les assaillants turcs, a longtemps hanté l'imagination des Niçois. Cependant, d'autres sièges auront raison de la ténacité niçoise. Jusqu'au XVIIIe siècle, la plupart des conflits européens auront ici leurs répercussions. En 1705, les Français prennent la ville et le vieux château est rasé. Rendue à la Savoie en 1713, Nice perd définitivement sa situation de citadelle, mais renforce sa position commerciale. Durant la période révolutionnaire, le comté de Nice, annexé, devient le département des Alpes-Maritimes.

A la chute de l'Empire, en 1814, Nice revient une nouvelle fois au roi de Sardaigne. Quelques années plus tard, pour remercier la France de son soutien aux nationalistes italiens contre l'Autriche, le roi Victor-Emmanuel II décide que Nice sera rétrocédée à la France. Le plébiscite, organisé en 1860, marque le retour triomphal du comté au sein de l'espace français et Napoléon III reçoit symboliquement les clefs de la ville. Auparavant, des étrangers fortunés ont pris l'habitude de séjourner à Nice et de nombreux Anglais ont acheté des propriétés sur le littoral. Ce sont eux qui font aménager un large chemin le long de la côte, la future promenade des Anglais, baptisée ainsi en 1884. Prolongée et élargie au fil des années, cette allée triomphale reste aujourd'hui l'un des symboles les plus évocateurs de la Côte d'Azur. Une fois par an, trois semaines avant le Mardi gras, chars fleuris et masques gigantesques envahissent la ville et défilent dans les rues, parmi les batailles de fleurs et de confettis. Le fameux Carnaval de Nice n'a rien perdu de ses traditions et, le soir du Mardi gras, Sa Majesté Carnaval est brûlée quai des Etats-Unis. Cinquième ville de France, la cité du Carnaval est devenue une métropole moderne et à sa vieille renommée touristique et climatique s'ajoute désormais une grande réputation culturelle.

Sur la promenade des Anglais qui longe la plage, beaucoup de grands hôtels de la Belle Epoque subsistent : le Royal, le Westminster, le West-End, le Negresco. Le Jardin Albert Ier débouche sur la belle place Masséna, construite à partir de 1815 et prolongée en 1980 par l'Espace Masséna, ensemble de bassins et de jardins. La promenade du Paillon, couverte de jardins suspendus, mène au Palais des Arts, du Tourisme et des Congrès, Acropolis, vaste ensemble architectural inauguré en 1985.

En redescendant vers le littoral, on aborde le quai des Etats-Unis qui prolonge la promenade des Anglais jusqu'au "Château", puissant plateau rocheux d'où la vue s'étend sur la ville et la baie des Anges. La vieille ville, comprise entre le Château, la place Garibaldi et le Paillon, est un lacis de ruelles aux hautes maisons de couleurs vives ; une animation exubérante y règne. Inspiré des crépis toscans, l'enduit qui recouvre les façades des maisons est fait à base des sables de la région, d'où la coloration rose ou rouge. Souvent aussi, les murs sont ocre.

Non loin du quai, on découvre le pittoresque marché sur le cours Saleya. Parmi les édifices les plus remarquables de la vieille ville, on peut citer le palais Lascaris, de style génois, construit entre 1643 et 1650 pour le comte de Vintimille ; la chapelle de la Miséricorde-des-Pénitents-Noirs, bel exemple d'église baroque du XVIIIe siècle qui renferme de nombreuses œuvres d'art ; l'église Saint-Jacques ; la cathédrale Sainte-Réparate, XVIIe, à la riche décoration baroque ; l'église San Giaume ou Sainte-Rita ; l'église Saint-Martin-Saint-Augustin, XVIIe, qui contient une magnifique Pietà, panneau central d'un retable dû à l'Ecole de Louis Bréa. Le musée de la Marine, le musée des Arts et Traditions populaires et le

Eze

A 427 mètres d'altitude, ce véritable nid d'aigle surprend d'emblée les visiteurs. Ses ruelles en pente contribuent à sa renommée et l'Auberge de la Chèvre d'Or constitue une halte privilégiée. Le sentier Frédéric-Nietzsche descend jusqu'à Eze-Bord-de-Mer, l'auteur de "Ainsi parlait Zarathoustra" a en effet vécu dans ce village, ainsi d'ailleurs qu'à Nice, dans les années 1890. La chapelle des Pénitents-Blancs contient de belles œuvres d'art, en particulier une statue du XIVe siècle appelée la Madone des Forêts. Des restes du château, qui surplombe le jardin exotique, l'on jouit d'une très belle vue sur la Riviera.

muséum d'histoire naturelle, avec un important département de malacologie, se trouvent dans la vieille ville. Le musée des Beaux-Arts Jules Chéret, le musée d'Art naïf, le musée Masséna, le musée de paléontologie humaine Terra Amata méritent également une visite.

Au pied de Cimiez, se profile le remarquable musée Marc Chagall, conçu et aménagé pour présenter Le *Message biblique*, donation faite par Marc Chagall aux musées nationaux en 1966. Il comprend notamment dix-sept grandes toiles évoquant la Bible. La colline de Cimiez constitue le Nice résidentiel. Les villas y sont nombreuses et les ruines romaines, intelligemment mises en valeur, s'intègrent bien au paysage (quartier des Thermes, amphithéâtre). Le monastère de Cimiez représente un bel ensemble avec son petit cloître XVIe et son église ogivale qui abrite trois œuvres importantes des Bréa. Sur la place du Monastère, devant l'église, s'élève le calvaire de Cimiez, une torse de marbre blanc portant une croix de 1477. Installé dans l'ancienne villa des Arènes, le musée Matisse regroupe une importante collection d'œuvres de l'artiste, peintes à Nice. Henri Matisse avait en effet son atelier dans la ville. Le musée présente bien d'autres tableaux, de nombreux dessins, lithographies, collages, sculptures, livres, etc. Un festival de jazz réputé se tient chaque année dans les arènes de Cimiez.

Les Corniches de la Riviera

A la sortie de Nice, la montagne plonge brusquement dans la mer et la Riviera dévoile ses splendeurs jusqu'à Menton et à la frontière italienne. Trois voies de communication sillonnent cette montagne abrupte : la Petite Corniche, souvent encombrée de voitures car elle dessert toutes les stations de la Riviera, la Moyenne Corniche, tracée à flanc de montagne, d'où l'on a de très beaux panoramas, et la Grande Corniche, aujourd'hui doublée par l'autoroute qui mène en Italie.

Entre le mont Boron et le cap Ferrat, le petit port de pêche de Villefranche, qui est aussi une station balnéaire réputée, attire toujours les estivants. Sur la rade, la citadelle Saint-Elme, élevée à la fin du XVIe siècle sur les instructions du duc de Savoie, abrite désormais l'hôtel de ville. Un peu plus loin, le souvenir de Jean Cocteau demeure intact dans la petite chapelle Saint-Pierre qu'il a décorée avec passion durant les années cinquante.

La presqu'île du cap Ferrat reste un lieu exceptionnel, où l'on peut notamment visiter la fondation Ephrussi de Rothschild, située dans un cadre idéal de jardins luxuriants. Cette grande villa constitue l'écrin d'une riche collection de meubles, de tapisseries et d'œuvres d'art du XVIIIe siècle (peintures de Boucher, Fragonard, Lancret, etc.). La Moyenne Corniche permet de visiter Eze. Légèrement en retrait de la côte, le site, à mi-chemin du cap Roux et de la pointe de Cabuel, a quelque chose d'extraordinaire. La Grande Corniche, construite sous Napoléon, reprend en partie le tracé de la via Julia vers La Turbie. La rotonde de La Turbie, le Trophée des Alpes, fut construit en VI av. J.-C. pour commémorer la victoire romaine sur les Ligures. Cet imposant monument de cinquante mètres de haut, déjà dégradé à la fin de l'Empire romain, servit de fortin au Moyen Age puis fut exploité comme carrière, notamment pour édifier l'église de La Turbie, Saint-Michel-Archange. Turbie vient du latin *tropea* qui signifie trophée. De ces hauteurs,

Monaco

Depuis longtemps, les Monégasques ont compris que leur salut résidait dans le tourisme. C'est en 1856 qu'est créée la première maison de jeux de la principauté. Au même moment se constitue la Société des Bains de Mer ; il faut cependant attendre le règne du prince Albert Ier pour voir cette politique porter ses fruits. En 1878, Charles Garnier construit le Casino ; les têtes couronnées et le gotha viendront bientôt, autour des tapis verts, célébrer les mérites de Monte-Carlo, qui devient l'un des grands centres de la vie mondaine internationale. Les soirées du Sporting, célèbres dans le monde entier, feront le reste. Monaco n'est plus seulement une capitale des jeux, mais aussi une ville de congrès et de festivals qui, tout au long de l'année, animent la petite principauté (Festival international de la Télévision, Festival international du Cirque, etc.). D'autres événements comme le Rallye automobile de Monte-Carlo ou le Grand Prix de Formule 1, qui se court dans les étroites et sinueuses rues de la ville, contribuent à accroître sa renommée. Enfin, une politique culturelle de prestige favorise le développement de l'Opéra de Monte-Carlo. Sur le Rocher, le palais du Prince, la cathédrale et le passionnant musée océanographique, qui possède l'un des plus beaux aquariums d'Europe, drainent la grande majorité des touristes. Non loin du nouveau quartier de Fontvieille, le jardin exotique, surplombant la mer, offre une infinie variété de plantes cactées.

BALMORAL

on surplombe les baies, les presqu'îles miroitant au soleil, de jolis villages comme Eze et le singulier site de la principauté de Monaco, la dernière possession des Grimaldi.

La principauté de Monaco

Petit Etat souverain de cent quatre-vingt-dix hectares, Monaco reste le symbole d'un tourisme de luxe et de bon aloi.

La famille des Grimaldi, descendants des grands marins génois, s'installe sur le rocher au XIIIe siècle. La dynastie régnante, liée aux Polignac, ne porte pas moins de cinq titres ducaux. Pendant dix siècles, Monaco oscillera entre Gênes, la Savoie, l'Espagne et la France.

Après la vente de Roquebrune et de Menton à Napoléon III, la principauté se trouve réduite au rocher de Monaco, que l'on s'efforce audacieusement d'élargir sur la mer en y déversant des milliers de tonnes de rochers arrachés à la montagne (le terre-plein de Fontvieille a permis d'accroître la superficie de vingt-deux hectares), et à la ville neuve, Monte-Carlo. Depuis 1949, le prince Rainier, qui a épousé l'actrice Grace Kelly en 1956, s'efforce de moderniser la principauté. Il y parvient sans trop de difficulté.

Roquebrune-Cap-Martin

De Monte-Carlo, on rejoint aisément la presqu'île du Cap-Martin grâce à un sentier touristique bien agencé, au milieu d'une abondante végétation. Les points de vue, fort nombreux, permettent d'admirer la pointe du cap Ferrat, le mont Agel, La Turbie et le village perché de Roquebrune, auquel on peut accéder par la Grande Corniche. Roquebrune, où se dresse le seul exemple de forteresse carolingienne de cette période, mérite une visite approfondie. La rue Moncollet, en partie taillée dans la roche, conduit au donjon.

A l'origine, le château, édifié au Xe siècle, comprenait le donjon et le village. Par la suite, le village se dissocia du château, tout en conservant son aspect fortifié, et le donjon finit par devenir à lui seul le château. D'autant plus qu'au XVe siècle, Lambert Grimaldi lui adjoindra de nouveaux bâtiments. Le donjon, haut de vingt-six mètres, comporte, sur quatre étages, une salle des gardes, une prison, les appartements du seigneur, des cuisines, etc. Depuis près de six cents ans, la fameuse procession de la Passion rassemble chaque année, le 5 août, tous les villageois et nombre d'estivants dans une émouvante reconstitution. L'origine de cette manifestation remonterait à une épidémie de peste qui aurait épargné le village au XVIe siècle.

Menton
Ville particulièrement agréable au climat privilégié, Menton appartint pendant des siècles au domaine des Grimaldi de Monaco. On distingue, ci-contre, la plage des Sablettes, le quai Bonaparte et l'église Saint-Michel.

Menton

Grande station climatique et balnéaire, renommée pour ses citrons, Menton a su se préserver des excès du béton. Une part de son charme provient de l'harmonie toute particulière créée par son cadre idéal, entre mer et montagne. C'est parce que Menton est la station la plus abritée de la côte que la culture des citronniers et des orangers a pu s'y développer. La fête des citrons se tient toujours la semaine du Mardi gras dans les jardins Biovès et des chars décorés d'agrumes défilent dans toute la ville. La promenade du Soleil longe la plage tandis que

le quai Napoléon III va jusqu'au vieux port et au phare. Le musée Jean Cocteau, installé sur le quai dans un fortin du XVIIe, présente en particulier *La Salamandre*, mosaïque réalisée en petits galets. A l'hôtel de ville, la salle des mariages a été décorée par Jean Cocteau.

Le vieux Menton étage ses maisons et son lacis de ruelles jusqu'en haut de la colline Saint-Michel, autour de la célèbre place Saint-Michel, superbe théâtre à l'italienne avec le port et la mer comme fond de scène… L'église Saint-Michel est la plus belle église baroque de la région et renferme de nombreuses œuvres d'art (retable, buffet d'orgues, stalles, etc.). Le parvis, aménagé au XVIIIe siècle, est fait de galets blancs et gris du meilleur effet. Le Festival de Musique de chambre se tient là chaque année. La chapelle de la Conception et les maisons voisines forment un décor superbe, au-dessus d'escaliers monumentaux descendant au port.

Le palais Carnolès, édifié au XVIIIe siècle, présente d'intéressantes collections de peintures. A l'autre extrémité de la ville, par la promenade de la Mer, on accède au quartier résidentiel de Garavan, qui mène à la frontière italienne. Un peu à l'écart de l'agitation estivale, Menton paraît parfois retranchée dans ses souvenirs.

Son arrière-pays mérite qu'on s'y attache et la route de montagne qui mène vers Sospel et le col de Tende se révèle superbe. Plusieurs villages et sites sont à signaler : le monastère de l'Annonciade, Gorbio, Castellar, Sainte-Agnès. Par le col de Castillon, on accède à Sospel, charmante vieille ville aux maisons anciennes, dont certaines à arcades, traversée par la Bévéra. Le vieux pont du XIe siècle, bien qu'endommagé durant la dernière guerre, est toujours debout. A l'église Saint-Michel, au beau clocher roman, on remarque La *Vierge immaculée*, retable de François Bréa.

L'arrière-pays niçois et la haute Provence

Nice voit encore s'accroître son prestige grâce aux magnificences de son arrière-pays : Lucéram, Peillon, les gorges de la Vésubie, le panorama de la Madone d'Utelle, la forêt de Turini, Saorge, la vallée de la Roya ou la vallée des Merveilles. Autant de sites qui éclairent les paysages montagneux des Préalpes niçoises, entre Var et Roya. Au nord, le massif de Mercantour, qui s'étend de la vallée de l'Ubaye au col de Tende, vient clore ce superbe domaine.

Les collines niçoises

Le circuit de la basse vallée du Var, parmi les oliviers, les vignobles et les vergers, permet de visiter nombre de villages et de sites intéressants. Sur la rive gauche du Var, au pied des Baous, l'on peut admirer l'arrière-pays de Vence avec les beaux villages perchés de Gattières, Carros, Le Broc. Au pont Charles-Albert, qui enjambe le fleuve en aval des gorges de la Vésubie, l'on aperçoit l'étonnant nid d'aigle de Bonson. Non loin de là, au sud-ouest, le village de Gilette est bâti sur un rocher qui domine l'Estéron. Ses maisons entourent les ruines féodales de l'ancien château des comtes de Provence. La route continue ensuite vers Pierrefeu, Roquesteron, Sigale...

La vallée de l'Estéron, qui s'étend d'est en ouest entre le Var et le Verdon, semble bien oubliée aujourd'hui. La région se révèle pourtant magnifique et possède de nombreuses petites églises romanes. Après avoir repassé le pont Charles-Albert, on franchit la Vésubie, au-delà de Plan-du-Var, pour gagner, par le défilé du Chaudan, le pont de la Mescla. C'est la mêlée de la Tinée et du Var, dans un site encaissé et sauvage entre le mont Vial, Mallaussène et la Madone d'Utelle.

Au nord de Nice, l'abbaye bénédictine de Saint-Pons, fondée avant l'an mil, a été entièrement rebâtie à la fin du XVIIe siècle. L'église, de style baroque, possède un joli campanile. On parvient ensuite à la cascade de Gairaut, alimentée par les eaux de la Vésubie. Au-delà, la route se poursuit en corniche vers Aspremont.

Dominée par le mont Chauve, au nord de Nice, le petit domaine accidenté des collines niçoises, compris entre la basse vallée du Var à l'ouest et l'une des branches du Paillon, comporte de beaux villages comme Colomars, Aspremont (église Saint-Jacques), Castagniers, La Roquette-sur-Var (église Saint-Pierre, XVIIe), Levens (vestiges de l'enceinte fortifiée), Tourrette-Levens (Notre-Dame-de-l'Assomption, XVIIIe), Falicon. Ce dernier village possède une remarquable église baroque et a conservé une partie de ses remparts. Non loin de Falicon, une route mène au mont Chauve, à 854 mètres d'altitude. Du sommet, le panorama s'étend sur le littoral, de Nice à Menton, et, au nord, sur les Alpes.

Le bassin des Paillons

Le Paillon de L'Escarène prend sa source non loin du col Saint-Roch, le Paillon de Contes descend de la cime de Rocca Seira, à 1500 mètres d'altitude. Ils se rejoignent au pont de Peille, près de Peillon, avant d'aboutir à Nice. Le Paillon, couvert sur les derniers kilomètres de son cours par des terrasses et des jardins suspendus, a toujours beaucoup compté pour Nice et son arrière-pays. Il sépare la ville moderne, à l'ouest, de la vieille ville et du port, dominée par la colline du Château, à l'est.

Remonter le cours des Paillons depuis Nice constitue une bonne occasion de visiter cette région. L'itinéraire passe par La Trinité, Drap, Contes, Berre-des-Alpes, Lucéram, L'Escarène, Peille et Peillon.

A l'est de La Trinité, le sanctuaire de Notre-Dame de Laghet, qui remonte au XVIIe siècle, demeure un important centre de pèlerinage qui attire nombre de fidèles de Provence, mais aussi d'Italie. Le bourg perché de Contes conserve une église du XVIIe qui possède un retable de sainte Marie-Madeleine par Bréa. Au pied du village, on remarque un vieux moulin à huile et une ancienne forge à eau. A quelques kilomètres, une montée permet de découvrir Châteauneuf-des-Contes, ancien *castrum* romain, et les ruines de Châteauneuf.

La route mène ensuite à Coaraze, joli village restauré, atteint le col de Saint-Roch, et redescend jusqu'à Lucéram, perchée entre deux ravins, dans un site splendide. Située à 665 mètres d'altitude, Lucéram était une cité importante au Moyen Age, défendue par des remparts dont subsistent quelques vestiges. Son église du XVe siècle à décoration italienne du XVIIIe, abrite un ensemble de retables du XVIe et un remarquable trésor (chandeliers en argent, pièces d'orfèvrerie, statuette en argent et en vermeil de sainte Marguerite au dragon).

Peillon

Véritable nid d'aigle, Peillon est l'un des plus remarquables villages des Alpes-Maritimes. Il a conservé son caractère et son aspect médiéval : ruelles escarpées, escaliers, fontaines, pierre érodée, ocre pâle des maisons fleuries à foison, etc. L'église Saint-Sauveur, de style baroque, abrite de belles œuvres d'art. A l'entrée du village, la chapelle des Pénitents-Blancs renferme un ensemble de fresques consacrées à la Passion du Christ, dues à Jean Canavasio.

Saorge

A la sortie des gorges de Saorge, apparaît le splendide village perché de Saorge, aux ruelles pleines de pittoresque. L'église Saint-Sauveur renferme plusieurs œuvres d'art, mais c'est surtout l'église romane de la Madone del Pogio qui retient l'attention. Des fresques du XVe siècle, attribuées à Baleison, sont encore visibles dans l'abside. A la sortie du village, le couvent des Franciscains date du XVIIe siècle. La chapelle, de style baroque, abrite un magnifique retable. Après Fontan, la route traverse les gorges de Bergue, dont les roches sont par endroits colorées de rouge, et atteint la ville de Saint-Dalmas-de-Tende, point de départ traditionnel de l'excursion vers la vallée des Merveilles. Plus au nord, le bourg montagnard de Tende, situé en balcon au-dessus de la Roya, est entouré de sommets sauvages. Depuis Saint-Dalmas, on peut aussi gagner le vieux village de La Brigue, aux nombreuses maisons anciennes. L'église Saint-Martin, XVIe, possède un beau clocher roman à bandes lombardes et renferme un bel ensemble de peintures primitives. En poussant un peu plus loin vers l'est, on parvient au sanctuaire de Notre-Dame-des-Fontaines, pèlerinage très suivi dans la région. La chapelle, située dans un site forestier au-dessus du torrent, contient de magnifiques fresques retraçant les principaux épisodes des Evangiles. Ces peintures du XVe siècle, principalement dues aux Piémontais Jean Canavesio et Jean Baleison, sont dans un état de conservation assez étonnant : les couleurs ont gardé une grande part de leur éclat.

Non loin du village se trouvent les chapelles de Saint-Grat et de Notre-Dame-de-Bon-Cœur, décorées de fresques. Le circuit se poursuit par L'Escarène, au pied du col de Braus, qui dut sa renommée à la position privilégiée qu'elle occupait sur la route royale de Nice à Turin. Elle conserve de sa grandeur passée une belle église du XVIIe, flanquée de deux chapelles. Là encore, la décoration intérieure et les œuvres d'art présentées méritent qu'on s'y attarde. A 630 mètres d'altitude, le vieux bourg perché de Peille occupe un site désolé au-dessus d'un ravin et des gorges du Paillon. Ses rues pittoresques conservent de nombreuses maisons anciennes bien restaurées. A dix kilomètres, au sud-ouest de Peille, une petite route mène à Peillon, auquel on peut aussi accéder par un sentier escarpé.

La vallée de la Vésubie

A quarante kilomètres de Nice, la vallée de la Vésubie, peut-être la plus belle de l'arrière-pays, présente des aspects bien différents : paysages, climats, altitudes se modifient progressivement depuis sa physionomie méditerranéenne jusqu'aux sommets alpins. Après les jolis bassins bien cultivés, couverts de vignes et d'oliviers, apparaît la moyenne montagne des Préalpes niçoises. A partir de Lantosque commence le domaine de la haute Vésubie, le paysage change, les pentes des montagnes se couvrent de châtaigniers, de sapins et de mélèzes. La région, jadis florissante, car très ouverte, a souffert des guerres au XVIIIe siècle. Les difficultés économiques contribuèrent aussi à dépeupler les villages.

Le développement du tourisme vert et la création du parc national du Mercantour, qui englobe la haute Vésubie, ont redonné sa chance à la vallée. De Nice, l'on emprunte la route qui remonte la vallée du Var ; après Plan-du-Var, la route des gorges de la Vésubie suit le torrent dans un cadre magnifique de falaises colorées. Non loin de Saint-Jean-la-Rivière, au village de Duranus, se trouve le lieu-dit du Saut-des-Français où, en 1793, plusieurs dizaines de soldats de l'armée de la République furent précipités dans le vide par les "barbets", jeunes autochtones réfractaires aux idéaux de la Révolution en marche. De Saint-Jean-la-Rivière, l'on parvient aisément au village d'Utelle, point de passage reliant les Hautes-Alpes au littoral, et au sanctuaire de la Madone d'Utelle, lieu de pèlerinage, d'où le panorama se révèle exceptionnel sur la vallée de la Vésubie, les montagnes de la forêt de Turini, le littoral et la mer. L'itinéraire se poursuit vers Lantosque et Roquebillière (église Saint-Michel-du-Gast associant éléments romans et gothiques). De La Bollène-Vésubie, une route monte, par le vallon de Sainte-Elisabeth, jusqu'au col de Turini. Du village de Belvédère, l'on peut entreprendre une belle excursion vers la cascade du Ray, dans le vallon de la Gordolasque.

Saint-Martin-Vésubie, station d'été et d'hiver, est le centre touristique de la "Suisse niçoise", au pied de la haute montagne du Mercantour, dont les sommets culminent à près de 3 000 mètres d'altitude. Village pittoresque (église baroque, chapelle des Pénitents-Blancs avec un clocher à bulbe argenté, ruelles, vieilles maisons), Saint-Martin-Vésubie offre aussi un grand nombre de randonnées vers le Boréon, Venanson ou la Madone de Fenestre.

Le site de la Madone de Fenestre, au fond d'un cirque sauvage, à 1900 mètres d'altitude, demeure un lieu de pèlerinage très fréquenté. La petite chapelle abrite, l'été venu, la statue de Notre-Dame de Fenestre, en bois polychrome, qui redescend chaque année, au mois de septembre, dans l'église de Saint-Martin-Vésubie. Une magnifique excursion vers la cime du Gélas, à plus de 3100 mètres d'altitude, séduira les marcheurs expérimentés. Bien d'autres promenades sont possibles : route de Valdeblore vers la vallée de la Tinée, col de Saint-Martin, beau site face au Boréon, station de Colmiane, etc. Le col de Turini réunit, par des routes étroites et sinueuses, les vallées de la Vésubie et de la Bévera, ces mêmes routes y croisent la départementale qui monte de Lucéram et de Peïra-Cava jusqu'au massif de l'Authion. De la pointe des Trois Communes, qui culmine à plus de 2000 mètres d'altitude, l'on a une vue superbe sur les sommets du Mercantour. La forêt de Turini, proche de la côte – Menton est à moins de trente kilomètres –, s'étend sur plus de 3500 hectares, ce qui en fait l'un des plus vastes massifs forestiers des Alpes-Maritimes. On y rencontre des pins maritimes, des chênes, des châtaigniers, des érables, mais aussi, à partir d'une certaine altitude, des sapins, des épicéas et des mélèzes.

La Roya et la vallée des Merveilles

L'une des plus belles excursions reste celle de la vallée de la Roya qui conduit de Nice ou de Menton au col de Tende. De Nice, par le col de Braus, ou de Menton,

par le col de Castillon, l'on accède à la petite ville de Sospel, où l'on peut déguster de succulentes truites. De là, après avoir passé le col du Pérus puis le col de Brouis, on remonte la haute vallée de la Roya grâce à une route magnifique, mais étroite, qui longe le torrent. A Breil-sur-Roya, le vieux village possède une église du XVIIIe siècle avec une riche décoration baroque à l'intérieur. En aval, la Roya passe en Italie où elle se jette dans la mer, près de Vintimille. Pour rejoindre la vallée des Merveilles, site unique de la haute montagne niçoise, dans le parc national du Mercantour, l'itinéraire le plus simple consiste à partir de Saint-Dalmas-de-Tende.

Une route monte jusqu'au lac des Mesches ; de là, il faut compter environ quatre heures de marche à pied pour parvenir au refuge des Merveilles où l'on peut passer la nuit. Le refuge se trouve à proximité de plusieurs lacs et au cœur d'une région superbe, dominée au nord par le mont Bego, qui culmine à 2872 mètres d'altitude. Si l'ascension de ce dernier est déconseillée aux néophytes, on peut en revanche entreprendre celle, plus facile, de la Cime du Diable (2 685 m), mais il faut disposer de plusieurs heures devant soi.

C'est dans ce domaine que se cache, dans un décor sauvage, un nombre impressionnant de gravures rupestres - on en a dénombré près de cent mille depuis la fin du XIXe siècle - représentées sur d'immenses dalles de rochers où elles sont parfois difficilement visibles. Les plus connues évoquent des stylisations d'animaux cornus ou des armes de chasse. Les spécialistes estiment que ces gravures remontent à l'âge du bronze, soit vers 1700-1500 av. J.-C. Un sentier, qui s'interrompt parfois, permet de parcourir la vallée jusqu'au refuge de Valmasque. Les plus aguerris gagneront la Baisse de Fontanalbe et rejoindront le refuge près duquel on peut découvrir d'autres gravures rupestres. On regagne les Mesches par le vallon de Casterine. Le tour du massif prend deux jours et c'est une randonnée inoubliable.

Moustiers-Sainte-Marie

Site splendide en aval des gorges du Verdon et au pied des grands rochers entrouverts par la profonde gorge du Rioul, Moustiers-Sainte-Marie reste célèbre par ses faïences. Moustiers (moustié signifie monastère en provençal), c'est le nom du prieuré du Ve siècle fondé par l'évêque Maxime de Riez, qui fit venir en ces lieux des moines de l'abbaye de Lérins. Le village se constitua autour du monastère, dans cette brèche creusée par le torrent. Signe plus étonnant : les deux falaises sont reliées par une chaîne de fer forgé de près de trois cents mètres. A l'origine, la chaîne était en argent, mais elle fut dérobée à l'époque des guerres de Religion. La chaîne soutient une grande étoile dorée. La légende veut qu'au XIIe siècle le chevalier Blacas, lié à la maison des Baux, tombé prisonnier des Infidèles, jura à la Vierge que s'il revenait vivant, il ferait placer au-dessus de Moustiers une longue chaîne en hommage à la Madone. Ce qui fut fait. Frédéric Mistral a écrit de belles pages sur la légende de la chaîne.

Vers la haute Provence

Les pittoresques gorges de la Nesque, après Carpentras, ouvrent les portes de la haute Provence, entre le Ventoux et le Luberon : Sault, Saint-Christol, Revest, Banon, Simiane-la-Rotonde, Oppedette, Vachères... Nous sommes déjà un peu dans le pays de Giono qui parlait si bien de sa terre provençale, pleine de lumière, de soleil et de solitude. Terre âpre, sèche, pauvre et, parfois, quasi désertique.

Entre le Luberon oriental et la crête de la montagne de Lure s'étend le pays de Forcalquier. Aux cailloux des torrents répondent les pierres des villages assemblées patiemment par de solides gaillards aux gestes rares et précis. "On a choisi toutes les pierres une à une, on a regardé les six faces, on a cherché les plus belles, les plus lisses, les plus d'aplomb (...) C'est ainsi qu'il a fait son portrait de visage et d'âme (avec sa truelle et son fil à plomb) tel que le voyaient sa femme, sa famille et ses voisins et même son quant-à-soi. Il est tel qu'il est toujours et aujourd'hui..." Jean Giono (*La Provence perdue*).

Le pays de Forcalquier

Sur ces plateaux lumineux, marqués par l'homme depuis des temps immémoriaux, Forcalquier fait figure de capitale. La ville et son comté furent réunis à la Provence à la fin du XIIe siècle quand Gersende de Forcalquier épousa le comte de Provence Alphonse II. Raimond Bérenger V, qui naquit de cette union, fut un grand prince. Il maria ses quatre filles à des rois et Forcalquier devint "la ville des quatre reines". Forcalquier possède la plus vaste église de haute Provence, Notre-Dame-du-Bourguet, il s'agit même d'une cathédrale, bien que l'évêque ait préféré s'installer à Sisteron. Sa nef est romane tandis que le chœur est gothique. Par la place du Presbytère, on gagne le couvent des Cordeliers, construit au XIIIe siècle et remarquablement restauré. De l'ancienne citadelle, détruite au XVIIIe siècle, il ne reste que quelques vestiges. Au nord de Forcalquier s'ouvre la belle route de la montagne de Lure, vaste massif qui prolonge le Ventoux jusqu'à la Durance, avec de magnifiques forêts. L'itinéraire, doublé par un sentier de grande randonnée, mène à Sisteron.

Au nord-est de Forcalquier, sur un plateau entouré par la Durance et de profonds ravins, se trouve l'admirable prieuré bénédictin de Ganagobie, sans doute fondé au Xe siècle. Cet établissement religieux, future propriété de la puissante abbaye de Cluny, est l'un des plus beaux joyaux romans de haute Provence. L'église Notre-Dame, bâtie au XIIe siècle, dans un style très pur, possède un portail festonné à la facture originale. Le chœur est orné de mosaïques d'une grande richesse iconographique. Le cloître rappelle celui de Montmajour. En suivant le cours de la Durance, après le village de Peyruis, on se dirige vers l'ouest pour rejoindre l'église de Saint-Donnat,

XIe siècle, l'un des rares vestiges du premier art roman provençal. A quelques kilomètres à l'est, sur l'autre rive de la Durance, les Mées constituent un étonnant décor naturel qui a longtemps alimenté l'imagination des habitants et les croyances locales. Faites de pouldingue, mélange de sable et de galets soudé par le ruissellement des eaux et le froid, ces aiguilles de pierre ainsi sculptées par l'érosion produisent toujours leur effet. Certaines atteignent cent mètres de hauteur. Le village a conservé des éléments de ses fortifications médiévales.

Au sud de Forcalquier, après le prieuré Notre-Dame-de-Salagon et le château de Sauvan, noble demeure du XVIIIe siècle, se dresse le village de Saint-Michel-l'Observatoire sur un promontoire rocheux. L'église priorale Saint-Michel, romane et gothique, possède des fresques intéressantes. L'Observatoire national d'astrophysique, installé là depuis 1936, accueille de nombreux astronomes venus du monde entier. Avant d'arriver à Manosque, on peut faire étape à Lincel, Reillanne, Céreste ou Carluc, sur le tracé de l'antique voie domitienne.

Manosque

Du haut de son promontoire, adossée à la pointe orientale du Luberon, Manosque semble surveiller la vallée. Par son passé historique et sa richesse agricole, elle reste le centre incontesté des Alpes-de-Haute-Provence, rayonnant aussi bien sur le pays de Forcalquier que sur le plateau de Valensole ou sur la basse vallée du Verdon. Ancienne cité, Manosque, pillée par les Sarrasins vers l'an 900, retrouve une part de sa splendeur sous l'autorité des Hospitaliers de Saint-Jean-de-Jérusalem, seigneurs de la ville. Les remparts ont laissé place à un boulevard circulaire, mais les ruelles de la ville ancienne ne manquent pas de pittoresque ; nombre d'hôtels particuliers, construits aux XVIIe et XVIIIe siècles, rappellent ceux d'Aix-en-Provence. Plusieurs portes des anciens remparts ont pu être sauvegardées, dont les portes Saunerie et Soubeyran, du XIVe.

Manosque possède aussi deux belles églises : Saint-Sauveur, romane remaniée, et Notre-Dame de Romigier, romane également remaniée, où un sarcophage du IVe siècle sert d'autel. On peut aussi y admirer une Vierge à l'enfant en bois noir, du XIIe siècle. Jean Giono, qui aimait beaucoup Manosque, où il a vécu de nombreuses années, a dépeint mieux que personne sa ville natale et sa région : "Plus loin, serpentant à plat, une Durance de pierre et d'os, sans une goutte d'eau. L'horizon était encombré de montagnes enchevêtrées..." (*Le Hussard sur le toit*). On peut visiter *Lou Praïs*, la maison où Giono écrivit la plupart de ses livres.

Il faut parcourir ensuite la route de la Lavande sur le vaste plateau de Valensole, entre l'Asse, la Durance et le Verdon. Des champs de lavande et de blé s'étendent à perte de vue, même si, au sud notamment, le plateau est entaillé de nombreux ravins. Là encore, on peut citer des villes et des villages, qui par la beauté de leur site ou leur passé historique, méritent une visite approfondie : Valensole, Riez, Allemagne-en-Provence...

Capitale de la lavande, ancienne étape sur la route du Sel, Digne organise, chaque année au mois d'août, de grandes fêtes autour de la petite fleur bleue au parfum si caractéristique. Station thermale réputée et centre

Les Mées

Le site des Mées, entre Manosque et Sisteron, au bord de la Durance, constitue un paysage impressionnant. On peut comprendre pourquoi au Moyen Age, les habitants de la région pensaient que ces aiguilles rocheuses représentaient des moines ou des pénitents pétrifiés par la faute de leurs péchés. Un sentier permet de visiter les Mées dans un cadre superbe.

d'excursions au cœur des sauvages Préalpes et sur la route Napoléon, Digne fut une cité romaine importante et devint l'un des plus anciens évêchés des Alpes. La ville s'est développée autour de la colline du Rochas qui domine le confluent de deux cours d'eaux. Du grand pont sur la Bléone, le boulevard Gassendi mène à la Grande Fontaine, érigée en 1829, et à la cathédrale Notre-Dame du Bourg, magnifique édifice roman provençal.

La "ville haute", pittoresque vieux quartier, est dominée par la cathédrale Saint-Jérôme, fin XVe, flanquée d'une tour-beffroi. Le philosophe Pierre Gassendi est né à Champtercier, près de Digne. Alexandra David-Néel, écrivain et grande voyageuse, passionnée par l'Asie centrale et spécialiste du Tibet, habitait Digne entre deux expéditions. Elle y mourut à cent un ans, léguant à la ville sa maison et sa bibliothèque.

Riez et Moustiers-Sainte-Marie

La route parfumée vous conduira à Moustiers-Sainte-Marie ou à Riez, ancienne cité gallo-romaine et vieille ville provençale sur le Colostre, au milieu du vaste plateau de Valensole. De belles maisons anciennes, des hôtels Renaissance, de nombreuses églises agrémentent la visite de Riez, qui se signale aussi pour ses portes fortifiées Aiguière et Saint-Sols. A la mairie, ancien palais épiscopal du XVe, a été installé un musée de la Nature en Provence, qui présente une importante collection de fossiles, minéraux, plantes, etc. de la région.

A la sortie sud de la ville, le célèbre baptistère octogonal, restauré au XIXe siècle, est l'un des rares édifices mérovingiens qui subsistent en France. Sur la route d'Allemagne-en-Provence, on peut admirer une colonnade antique, restes d'un temple romain.

L'église romane et gothique au magnifique clocher lombard à trois niveaux domine le vieux village aux maisons en cascade de Moustiers-Sainte-Marie. Vestige de l'ancien sanctuaire des moines, Notre-Dame conserve un trésor. Sous l'étoile, la chapelle Notre-Dame de Beauvoir, XIIIe-XVIe, demeure un centre de pèlerinage et l'un des lieux privilégiés de la fête de la Nativité de la Vierge, qui se tient chaque année, à la fin de l'été. Par un sentier en corniche, on accède à la grotte-chapelle de la Madeleine, d'où la vue s'étend sur le plateau de Valensole. Le musée de la Faïence présente un certain nombre de pièces retraçant l'évolution de la faïence de Moustiers, à travers ses différentes techniques, depuis les maîtres du XVIIe siècle jusqu'à sa quasi disparition au XIXe siècle.

Les gorges du Verdon

Frontière naturelle entre les Provences varoise et alpine, les gorges du Verdon représentent l'une des plus grandes curiosités naturelles d'Europe.

Le Verdon prend sa source à 2500 mètres d'altitude, près du col d'Allos. Après deux cents kilomètres de course, le Verdon se jette dans la Durance. Castellane, petite ville provençale et centre touristique, voit se rencontrer la route des gorges du Verdon et la Route Napoléon, qui, par Digne, Sisteron et Gap, gagne le Dauphiné. Au nord-est de Castellane, les vallées se font plus encaissées et l'on atteint aussi la montagne. Sur la rive gauche du Var, l'ancienne place forte de Vauban, Entrevaux, occupe l'étonnant rocher de sa citadelle. Le bourg de Puget-Théniers, au confluent de la Roudoule et du Var, apparaît comme totalement encerclé par les montagnes. Fameuse pour son roc calcaire à pic de cent quatre-vingts mètres sur lequel se dresse la chapelle Notre-Dame-du-Roc, Castellane célèbre chaque année la fête riche en couleurs du Pétardier qui commémore la fin du siège de la ville par les huguenots en 1586.

La longue vallée alpestre de la Tinée, qui monte vers la cime de la Bonette en longeant le massif du Mercantour, permet d'accéder à la vallée de l'Ubaye et à sa capitale, Barcelonnette. La route des grands cols (Allos, la Cayolle, la Bonette, le Parpaillon) et les défilés de la route de Larches en donnent un large aperçu. Longtemps isolée, cette vallée, relativement protégée, est cependant sujette à de brusques écarts de température. La ville de Barcelonnette, fondée au XIIIe siècle sous l'égide de Raimond Bérenger V, s'administra librement pendant des siècles. Elle subit aussi les contrecoups des guerres de Religion. Détruite à plusieurs reprises, elle conserve quelques vestiges du couvent des Dominicains, abattu par les protestants de Lesdiguières, puis rasé sous la Révolution.

L'aventure des Barcelonnettes, jeunes gens de la vallée partis faire leur vie au Mexique au XIXe siècle, reste un exemple assez exceptionnel d'émigration française vers les lointaines contrées d'Amérique centrale. On estime leur nombre à plusieurs milliers et le quartier est de la ville, où l'on découvre nombre de propriétés des "Mexicains" revenus dans leur pays une fois fortune faite, témoigne de cette étonnante épopée.

Le col de Provence a longtemps été la grande voie de passage entre la vallée de l'Ubaye et la vallée Blanche qui marque la limite nord de la Provence, non loin du barrage de Serre-Ponçon, dans les Hautes-Alpes. Le bourg de Seyne-les-Alpes, qui conserve une citadelle construite sous Vauban, possède une remarquable église romane, Notre-Dame de Nazareth.

Les gorges du Verdon

Nul mieux que Jean Giono n'a pu définir la magie de ce site extraordinaire : "Rien n'est plus romantique que le mélange de ces rochers et de ces abîmes, de ces eaux vertes et de ces ombres pourpres, de ce ciel semblable à la mer homérique et de ce vent qui parle avec la voix des dieux morts." Le Grand Canyon représente le dixième du cours du Verdon, mais c'est de loin la partie la plus spectaculaire. La rivière entaille les montagnes calcaires sur plus de vingt kilomètres de long jusqu'à 700 mètres de profondeur. A l'entrée du Grand Canyon, le village d'Aiguines, au sud de Moustiers-Sainte-Marie, offre une vue saisissante sur le lac de Sainte-Croix. Quelques kilomètres plus loin, le cirque de Vaumale, sans doute le paysage le plus impressionnant des gorges, frappe l'imagination. Une succession de belvédères et de balcons naturels permet de bien saisir l'ampleur et la beauté du site : Point Sublime, Corniche Sublime, balcons de la Mescla, Corniche des Crêtes. L'exploration des gorges du Verdon peut s'étendre sur plusieurs jours, c'est une excursion inoubliable de plus de cent kilomètres, entre le lac de Sainte-Croix et Pont-de-Soleils, non loin de Castellan.

Sisteron

Ville frontière entre le Dauphiné et la Provence, Sisteron, semblant adopter les lignes vertigineuses de la montagne, constitue le verrou de la Durance. La ville haute occupe le plateau de la colline et la cité basse, au bord de l'eau, étale ses toits de tuile roses. Couronnant le rocher, la citadelle, si elle a été entièrement reconstruite au XVIe siècle, conserve quelques éléments des siècles précédents.

Au bord de la Durance, les vieux quartiers aux rues étroites en escaliers, les "andrônes", sont pleins de charme, même s'ils ont beaucoup souffert. En août 1944, les forces américaines bombarderont la ville pour précipiter le départ des troupes allemandes et les dégâts seront considérables. L'ancienne cathédrale Notre-Dame-des-Pommiers, bâtie en bordure de la voie domitienne, représente un bon exemple de l'architecture romane de la région, à la fois provençale et alpine, mais aussi influencée par le style lombard.

Sur la rive gauche, le faubourg de la Baume mène au défilé de Pierre-Ecrite (grande inscription romaine du Ve siècle sur un rocher) et à la chapelle du Dromon. Au-delà, s'ouvre la vallée du Vançon, avec la forêt de Mélan. On redescend au sud vers Digne ou vers Château-Arnoux, au bord du lac de barrage de l'Escale.

G. DURAND

Bibliographie sommaire

Jean Aicard, *Maurin des Maures*, 1908.

René Alleau, *Guide de la Provence mystérieuse*, Tchou, 1965.

Paul Arène, *Contes et histoires de Provence,* 1887.

Yvan Audouard, *photographies de Lucien Clergue*, *Provence : bergère de lumière et de vent*, Robert Laffont, 1995.

G. Barruol, *La Haute Provence, La Pierre qui Vire,* Zodiaque, 1977.

Fernand Benoit, *La Provence et le Comtat Venaissin,* Aubanel, 1975.

Raoul Berenguier, *Abbayes de Provence*, Nouvelles éditions latines, 1969.

Henri Bosco, *Le Mas Théotime*, 1945, Malicroix, 1957.

André Bouyala d'Arnaud, *Histoires de la Provence*, Plon, 1965.

Marcel Brion, *La Provence*, Arthaud, 1960.

Pierre Cabanne, *Le Midi des peintres*, Hachette, 1964.

Jacques Chabot, *La Provence de Giono*, Edisud, 1991.

Jean-Paul Clébert, *Les Fêtes en Provence*, Aubanel, 1982.

J.-P. Clébert, *La Provence de Pagnol*, Edisud, 1986.

J.-P. Clébert, *Châteaux en Provence*, Edisud, 1989.

J.-P. Clébert, *Vivre en Provence*, Tchou, 1977.

Alphonse Daudet, *Les Lettres de mon moulin*, 1869, *Aventures prodigieuses de Tartarin de Tarascon*, 1872.

Alphonse Daudet, Histoire d'une amitié : *Correspondance inédite entre A. Daudet et F. Mistral (1860-1897)*, Julliard, 1979.

Gabriel Domenech, *La Provence buissonnière*, Albin Michel, 1985.

Raymond Dumay, *Ma route de Provence*, Julliard, 1954.

François-Xavier Emmanuelli, *Histoire de la Provence*, Hachette, 1980.

Daniel Faure, **Pierre Magnan**, *Les Promenades de Jean Giono*, Editions du Chêne, 1997.

Laurence E. Fritsch, *Itinéraire spirituel en Provence,* La Table Ronde, 1999.

Ernest Gaubert et Jules Véran, *Anthologie de l'amour provençal,* Mercure de France, 1909.

Garcin, *Dictionnaire historique et topographique de la Provence ancienne et moderne*, chez l'auteur, 1835, rééd. Chantemerle, 1972.

Jean Giono, *Provence,* Gallimard, 1957.

Jean Giono, *Provence perdue,* Arthaud, 1968.

Claude Gouron, *Ubaye,* A. Barthélémy, 2000.

Guide Bleu Provence, Alpes, Côte d'Azur, Hachette.

Guide Côte d'Azur, Michelin.

Guide Provence, Michelin.

Marie-Ange Guillaume, *photographies de Sonja Bullaty et de Angelo Lomeo, Bleue comme une orange... La Provence*, Abbeville, 1993.

Gabriel Hanotaux, *La Provence niçoise,* Hachette, 1928.

Pierre Jalabert, *La Provence et le Comté de Nice,* Lanore, 1938.

Robert Lafont, *Lettre ouverte aux Français d'un Occitan,* Albin Michel, 1973.

Paul Mariéton, *La Terre provençale : Journal de route,* Lemerre, 1890.

Marie Mauron, *En parcourant la Provence,* Les Flots bleus, 1954.

Marie Mauron, *La Provence au coin du feu,* Librairie Académique Perrin, 1981.

Marie Mauron, *photographies de L.Y. Loirat,* Provence, Hermé, 1996.

Charles Maurras, *Quatre nuits de Provence,* Flammarion, 1930.

Charles Maurras, *Les Secrets du Soleil,* La Cité des Livres, 1928.

Peter Mayle, *Une année en Provence,* Nil, 1993.

Frédéric Mistral, *Les Contes provençaux,* M. Petit, 1980.

Frédéric Mistral, *Mémoires et récits,* M. Petit, 1981.

Jean-Bernard Naudin, **Gilles Plazy**, **Jacqueline Saulnier**, *Le Goût de la Provence de Paul Cézanne,* Editions du Chêne, 1996.

Marcel Pagnol, *Marius,* 1929, *Fanny,* 1932, *La Gloire de mon père,* 1957, *Le Château de ma mère,* 1958.

Pierre Rollet, *La Vie quotidienne en Provence à l'époque de Mistral,* Hachette, 1972.

Guy Tarade, *Les Sites magiques de Provence,* Robert Laffont, 1990.

Claire Tievant, *Almanach de la mémoires et des coutumes de Provence,* Albin Michel, 1984.

Jean Tulard, *La Vie quotidienne des Français sous Napoléon,* Hachette, 1978.

Jean Tulard, *Les vingt jours,* Fayard, 2001.

Jean-Louis Vaudoyer, *La Provence,* Nathan, 1953.

André Verdet, *La Provence autrefois,* Galilée, 1979.

La Provence en livres, Edisud, 2000.

FRONTIERES DE LANGUEDOC
HAUT COMTAT
PRINCIPAUTÉ D'ORANGE
ORANGE
COMTAT VENAISSIN
VIGUERIE D'APT
VIGUERIE DE FORCALQUIER
VIGUERIE DE TARASCON
VIGUERIE D'ARLES
VIGUERIE D'AIX
VIGUERIE DE S.T MAXIMIN
VIGUERIE DE SISTERON
La Camargue
LA CRAU
Montagne de Leberon
MER DE MARSEILLE
MER MEDI
Embouchures du Rhosne
AVIGNON
CARPENTRAS
VAISON
CAVAILLON
APT
AIX
MARSEILLE
ARLES
TARASCON
BEAUCAIRE
NISMES
VZÉS
S.REMY
FORCALQUIER
MANOSQUE
S.MAXIMIN
BERRE
ISTRES
FERRIERES
S.T PAUL TROIS CHATEAUX
Nyons
Sault
Pertuis
Aubagne
la Ciotat
Cassis
Martigues
Marignane
Tour de Bouc
Plage de Foz
Salon
Lambesc
Cadenet
Cucuron
Reillane
Mane
Sorgues
Bedaride
Villeneuve
Aramon
Bagnols
Mondragon
Mornas
Serignan
Rochegude
Suze
Bolene
Pont du Gard
Remoulins
Bellegarde
Fourques
S.Gilles
la Pinede
Les Trois Maries
Salins d'Arles
Tour de Mejane
les Baux
Orgon
Senas
Eyguieres
Malemort
Roquevaire
Gemenos
Tour de Planié
Eschelle.
Mille Pas Geometriques.
4 8 12 16 20 24
Lieües de Provence.
1 2 3 4 5 6 7
Lieües Communes de Languedoc.
1 2 3 4 5 6 7 8 9 10
A AMSTERDAM
Chez R. & J. OTTENS.